UN ANGLAIS
A PARIS

MICHAEL SADLER

UN ANGLAIS A PARIS

L'ÉDUCATION CONTINENTALE

préface de
Bernard Rapp

l'Archipel

Un livre présenté par Jean-Loup Chiflet

Si vous souhaitez recevoir notre catalogue et être tenu au courant de nos publications, envoyez vos nom et adresse, en citant ce livre, aux Éditions de l'Archipel,
4, rue Chapon, 75003 Paris.
Et, pour le Canada, à
Édipresse Inc., 945, avenue Beaumont,
Montréal, Québec, H3N 1W3.

ISBN 2-84187-217-3

A Lulu et à Daisy

Préface

Je soupçonne Michael Sadler de passer chaque matin quelques minutes devant sa glace à entretenir son accent de manière à pouvoir débarquer chez vous en annonçant : « J'ai raté *la* train et *la* métro et je n'ai pas trouvé *la* numéro de *ton* rue ! » Une manière, pour lui qui parle si admirablement notre langue, de rappeler qu'il vient quand même d'un pays où Waterloo est une victoire et dans lequel on se régale de gigot de mouton bouilli. Pourtant, sans l'avouer, Michael Sadler n'est plus tout à fait outre-manchot ; la meilleure preuve en est qu'il sait apprécier le livarot, les tripes façon grand-mère et les petites récoltes de Nicolas, ce qui relève du sacerdoce quand on vient d'un pays dans lequel les indigènes tartinent leur pain de margarine et où l'on n'a rien trouvé de mieux que de servir le concombre en sandwich. Pas de doute, le ver est dans *la* fruit et notre « Sadler » est en passe de devenir « Sellier ».

Il n'est pas le premier. J'en ai connu quelques autres de ce type, comme cet ambassadeur qui m'entretenait des heures durant des jardins à la française et du rôle de Napoléon III dans l'industrialisation de l'Europe, mais qui n'a jamais cessé d'acheter ses chapeaux – noirs, bien sûr, pas question de faire des folies – chez le même chapelier de Bond Street, dont il était le client depuis plus de trente ans.

Ils sont comme ça, les Anglais qui nous aiment, ils semblent descendre d'une autre planète pour se pencher d'un air étonné – envieux – sur la mare aux grenouilles où nous nous agitons.

Et ils ont bien du mérite, si l'on en croit le *Sun*, qui ne voit en nous rien d'autre qu'une bande organisée de décérébrés instinctifs, licencieux et frivoles, tout juste bons à manger de la vache cinglée.

Une répulsion qui relève de la fascination et donne à penser que les Anglais, sans les Français, ne seraient plus tout à fait des Anglais.

Il est vrai aussi que la fascination est réciproque et un rien névrotique puisque, dès 1664, un certain Samuel Sorbière livrait sa *Relation d'un voyage en Angleterre* aux lecteurs français déjà friands d'histoires de sauvages. Il était suivi un siècle plus tard par son confrère Paul Festau, l'auteur inoubliable d'une *Nouvelle Grammaire anglaise enrichie de dialogues curieux*.

Du curieux à l'excentrique, il n'y a qu'une largeur de Manche, comme en témoignent les travaux de monsieur Fougeret, qui eut la bonne idée d'élaborer dès 1757 un *Préservatif contre l'anglomanie*. En somme, il proposait déjà de sortir couvert, sans imaginer que la capote serait, un jour prochain, elle aussi britannique. Vinrent ensuite Jean de La Fontaine, l'Abbé Prévost et jusqu'au grand Voltaire qui ne cachaient pas leur prédilection pour les mœurs de l'Albion. Bref, le jeu du « je t'aime moi non plus » a toujours été la chose la mieux partagée de part et d'autre de la Manche, ce qui est bien normal après tout, puisque l'Angleterre est une monarchie où l'on se conduit comme si on était en République, et la France une République aux mœurs de monarchie.

Mais revenons à nos moutons – qui, soit dit en passant, furent l'objet d'une guerre dont nos deux peuples ont le secret, il y a moins de vingt ans – et à l'auteur du livre qui suit.

Michael Sadler appartient à cette race d'Anglais qui se demandent toujours pourquoi, chez nous, on double à gauche comme à droite, pourquoi on marche sur la queue des chiens et pourquoi nous sommes si avares de notre sourire, mais qui persistent à acheter dans nos provinces, pour les retaper, des demeures dont personne ne veut : toiture écroulée, jardin envahi par les ronces, en général à moins de cinquante mètres de la porcherie la plus proche (la sienne est en Touraine et je peux vous assurer qu'il y cultive la Belle de Fontenay plus volontiers que le brocoli). Des Saturniens qui ont trouvé plus plaisant de venir chez nous profiter de nos défauts (en vrac : le foie gras, l'escalope à la crème, les pommes sarladaises, le camembert fait à cœur et les soutiens-gorge pigeonnants) que de nous scruter à la jumelle en mâchant un *fish and chips*. Il y a deux siècles déjà, le bon docteur Young se penchait sur l'état de la France et des Français et y trouvait matière à étonnement, sans oublier néanmoins de retourner chez lui, une fois son travail d'entomologiste accompli.

Pour ce qui est de Michael Sadler, j'ai peine à croire qu'il retourne jamais chez lui, tant la francité lui colle à la peau, comme le montre ce récit vif, tendre, impertinent et forcément autobiographique. Notons au passage que, pour aggraver son cas, il écrit en français.

La France, sous ses yeux, est une source inépuisable de surprises et de quiproquos. Ici, pas de réflexions sur les mœurs hexagonales, pas de « thomsonite » aiguë, pas d'exploration psychanalytique de l'âme et de l'inconscient français. Juste l'humour avec un nuage de lait. L'auteur naturalisable navigue à vue dans la brume des usages français, commet tous les impairs, ne manque pas une bourde – comme d'arriver à l'heure à un dîner parisien, ce qui relève, tout le monde le sait, d'une faute de goût impardonnable –, se prend les pieds dans tous les tapis et s'initie jour après jour à nos rites ancestraux, de l'oreille de cochon au stationnement en double file en passant par la raie au beurre noir.

Une « éducation continentale » par l'exemple, juste le temps de ne pas trop regretter l'Angleterre puisque, les Britanniques vous le diront, si les Français croient que Dieu est français, les Anglais, eux, savent qu'il est anglais.

Bernard RAPP

1

L'Anglais regarde le fromage et le fromage regarde l'Anglais.

L'Anglais, c'est moi. Le fromage, ambré, luisant, potelé, tapi au fond de sa boîte (moine rubicond sur fond de vache souriante), c'est un livarot. Nous sommes tous les deux dans la rue principale piétonnière de Dieppe. Lui en vitrine, moi en tweed estival. Le fromage sait que j'arrive du ferry, flaire ma faiblesse et mon manque de self-control. Il bombe sa croûte pour me narguer.

De ma vie je n'ai jamais eu un livarot à moi. Souvent je les ai reluqués en douce dans les crémeries louches, mais, sceptique en matière de fromage de voyage, j'ai toujours su me raisonner avec des arguments du genre : ça pue, tu vas en mourir, ils t'arrêteront à la douane ! Aujourd'hui, si je veux, je peux. *Why not ?*

Comme le bourgeois avec sa danseuse, j'allais rapidement déchanter. S'offrir un livarot, c'est une chose. Vivre avec, c'est une toute autre paire de manches.

Je pousse la porte de l'épicerie fine. Le propriétaire du magasin avance en tablier blanc. Calme, affable, affiné, dodu, à point, 50 % Mat. Gr., il me fait un sourire crémeux de connivence.

– Je voudrais un livarot, s'il vous plaît, bavé-je.

– Un colonel, monsieur ?

– Plaît-il ?

Le livarot, paraît-il, existe en plusieurs tailles : S, M, L, XL et, la plus grande, le colonel – les trois galons qui entourent le fromage indiquant son grade.

– Allons-y pour le colonel.

Les livarots sont passés en revue. Tout un régiment de gros colonels, leur embonpoint meurtri par un galon trop serré, est sorti tendrement du fond des boîtes où ils roupillaient ; les voilà soulevés, palpés, humés. Après de savants tâtonnements, la victime est élue. Il doit serrer les épaules avant de reprendre sa forme originelle et se lover, tel un gros pouf récalcitrant, sous le couvercle de sa boîte. Il est fin prêt. Il est à moi. Je pars, le cœur battant, aussi excité qu'un adolescent devant sa première revue de pin-up.

Je descends la rue principale en direction du port. Dieppe a beaucoup changé. Le bateau en provenance de Newhaven n'arrive plus au centre-ville et l'énorme blockhaus de béton qui abritait la douane et la gare maritime a été détruit pour céder la place à un magnifique quai agrémenté de bâtiments élégants longeant le port de plaisance.

Une enfilade de restaurants pimpants avec tables et chaises en plastique genre mobilier de jardin proposent ce que j'appelle la cuisine d'Allah – moules allah crème, sole allah normande. Tout est très joli. Si la municipalité n'avait pas eu l'heureuse idée d'y installer un parking hideux, le port aurait viré chic et mode. On l'a échappé belle.

Sur la terrasse du Tout va bien, ballon de sauvignon allah main, le désir d'enfoncer mes dents dans les fesses crémeuses du fromage est presque trop fort, mais j'arrive à freiner mes ardeurs. Je le dévore par procuration, avalant une lampée de blanc, en reniflant le colonel dans son sac. La famille qui déjeune à la table voisine me regarde d'un drôle d'œil. Qu'est-ce qu'il fait le monsieur, papa ? Pas facile de humer discrètement son fromage en public ! Pour dissiper tout soupçon d'excentricité, je commande une bouillabaisse dieppoise, une bouteille de gros plant, et j'installe le colonel en face de moi, au soleil. Nous déjeunerons ensemble. Café. Flan aux pruneaux. Le paradis. Re-café.

A 15 heures, nous reprenons la route.

Juste avant Tôtes, à une quinzaine de kilomètres, la présence du colonel, qui a dû prendre un coup de soleil pendant le déjeuner, commence à se faire sentir. L'air devient irrespirable, comme si quelqu'un avait oublié les shorts d'une équipe de rugby dans un sac en plastique au soleil. Le péril de succomber aux effluves du livarot et de perdre le contrôle de mon véhicule est imminent. Je vois déjà les gros titres dans la presse locale : « Un universitaire asphyxié par un camembert géant. »

Il faut agir. Heureusement, voilà une aire de repos. M'arrêtant assez loin d'un couple de retraités en BX qui grignotent du cake sur une table en bois massif sertie dans un bloc de béton, je descends de voiture et je promène le livarot comme si j'emmenais mon chien faire pipi. Personne ne me regarde. Quelques moulinets dans les airs devraient disperser les gaz accumulés. En vain. Le colonel exsude toujours. Et pas question de m'en débarrasser dans une poubelle ! Le fromage est un être vivant. Moralement, légalement, je ne peux pas – la SPA serait à mes trousses. (« Un universitaire abandonne un livarot de trois mois dans une poubelle. ») Autant dire que le fromage, première expression de ma liberté toute neuve, commence à me peser.

Le colonel s'impatiente et peste au fond de sa boîte :

– On y va, bordel de merde ?

– Oui, mon colonel !

Indulgent, le couple de retraités sourit gentiment au monsieur moustachu à panama qui parle à son fromage. « Ah ! ces Anglais... »

Si je le mettais dans le coffre ? Hélas ! il est peu volumineux et contient déjà mes affaires et mes livres. La cohabitation avec le livarot leur laisserait certainement un souvenir impérissable, mais je n'ai pas envie de porter, pour mes dîners en ville, des chemises dont le parfum rappellerait immanquablement le bocage normand.

Dans ma vieille Volvo, j'aurais pu le placer derrière la grille destinée à empêcher le labrador de vous lécher la nuque dans les virages. L'endroit idéal pour un colonel acariâtre. Mais j'ai une petite Mazda rouge. Reste la galerie. Je vide le coffre pour trouver les sandows. Pas évident d'arrimer un fromage sur une galerie prévue pour des objets plus encombrants. Je le crois bien en place et dddooiinnggg je prends un sandow dans le pif. Enfin, le fromage solidement ligoté, je repars, les vitres fermées : sous l'effet du soleil, les effluves du colonel pourraient refouler à l'intérieur de la voiture et suffoquer le conducteur.

Le préposé au péage nous toise, le colonel et moi, d'une façon dédaigneuse. Pour le dérider, je lui adresse un grand sourire :

– *Cheese !*

En vain. L'humour voyage aussi mal que le fromage.

2

Que faisais-je au péage de Rouen avec mon gyrophare au lait cru ?

Depuis des lustres, l'envie de vivre en France me taraudait. Lorsque la pluie remplissait la bâche du bassin aux poissons rouges, lorsque la mousse tapissait le parterre de carottes au fond du jardin, lorsque je trouvais le pain moche, le vin cher et la vache folle, je rêvais de mettre la clef sous la porte et de prendre la route direction Douvres. Et puis, un jour, une lettre sur le paillasson WELCOME.

On me propose une année de recherches en France !

Professeur d'anglais à la fac de Swindon, j'avais soumis, sans trop y croire, un sujet au jury collégial. Jusqu'alors spécialisé dans l'acquisition de la langue, je me proposais désormais de m'intéresser à sa déshérence. Sur place, en France, j'enregistrerais des expatriés britanniques qui avaient, pour ainsi dire, le cul entre deux langues. Grâce au livre que je prépare, et qui s'appellera *Losing English*, des filles à jambes longues m'inviteront à moult émissions de télévision, on m'arrêtera dans la rue pour un autographe et je serai riche et célèbre. Le nouveau directeur du département – blond, futé, Alfa décapotable, en somme imbuvable – était enchanté de m'accorder cette année sabbatique. Son enthousiasme à l'idée de ne plus voir mon minois narquois planté devant son bureau n'avait d'équivalent que mon désir de ne plus supporter sa présence onctueuse. Je lui aurais dit que je partais dans la jungle avec une échelle pour scruter le derrière des girafes, il m'aurait complimenté sur l'extrême pertinence de mon entreprise.

Rien ne s'opposait à ce que je parte.

Why not ?

La secousse tellurique provoquée par cette interrogation fait trembler le baromètre, la porte d'entrée, la véranda en alu et les nains en fibrociment du jardin. Timide a les boules. En sortant pour le réconforter, je m'interroge. Qu'est-ce que je fais ? J'y vais ? J'y vais pas ? Sauf Grincheux qui est évidemment contre, les nains sont unanimes.

Comment le monde réagit-il à cette nouvelle ? Au Jane's Traditional Tea Shop, Barbara, la serveuse potelée avec une gaufrette dentelée dans les cheveux, m'a immédiatement servi en français.

– Veux-tu du confiture de l'orange ?

– Je veux bien. Merci très beaucoup.

– Encore quelque café ?

– Non, je suis plein.

Encore un « morceau de la toast » et j'étais bilingue. Plus question de faire marche arrière.

L'Europe aidant, tout s'est arrangé sans accroc : formulaire E 111 – en cas de maladie (très simple : vous payez le médecin, il signe le formulaire, vous l'envoyez à Newcastle et vous êtes remboursé douze ans après) ; assurance voiture – avec une augmentation modique de 400 % pour risque continental ; instructions (quinze pages) pour l'obtention d'une carte de séjour. Et clac ! on ferme la valise.

Départ le 15. De nature assez discrète, j'aurais été fort content de filer à l'anglaise, mais le village, alerté par Barbara, bruissait d'excitation et, pour me dire « au revoir », décidait d'organiser une » French party ». Le carton d'invitation stipulait : « Venez déguisé en Français ! »

Abesbury under Lyme, le village ultra-coquet où j'habitais une chaumière de location, n'était pas coutumier de ce genre d'événement. Régulièrement lauréat de tous les prix – du village fleuri, de la jardinière et de la plus jolie décharge (un mariage très astucieux entre une poubelle vert pomme et une haie de hêtres) –, il aurait pu remporter tout aussi facilement le Nobel de l'ennui. Le quotidien était peinard, un portefeuille paumé dans le pub était immanquablement retrouvé, les pompiers ne sortaient que pour sauver les matous obèses pris de vertige dans le chêne du square, et l'aventure hebdomadaire se limitait à l'achat d'un rôti de bœuf au supermarché Tesco dans le seul but de montrer qu'on était prêt à mourir spongiforme pour la patrie.

Pour faire couleur locale, on achète du Boursin et du pâté de foie en tube, que je propose de servir sur des brosses à dents. Des disques d'Yves Montand et de Sacha Distel nous sont aimablement prêtés par Mrs Johnstone. Le frère du plombier, lui, est un inconditionnel d'Édith Piaf. Il ne nous restait qu'à frotter les murs de la salle des fêtes avec de l'ail et tout était prêt.

Comment me déguiser ? Un instant, je flirte avec l'idée d'apparaître en Louis XVI décapité, mais difficile de se piquer le nez sans tête ! Une illumination... Un vieux costume croisé dans le placard, le *Times* plié sous le bras, le tour est joué...

Une récompense à qui devinera qui je suis !

Dès 19 heures, les premiers invités arrivent.

Harry Brick, le facteur, coiffé d'un képi confectionné avec une boîte de corn flakes, est venu en général de Gaulle, et John Holm en résistant, revêtu du trench-coat de sa femme, col relevé. Comme l'imperméable était trop petit et qu'il faisait très chaud, il était tout rouge et ressemblait plutôt à Boris Eltsine. Peter Blake porte un pull-over de marin breton rayé bleu et blanc et une tresse d'oignons autour du cou qui fait pleurer ses cavalières. L'abominable Maurice Hope, un agent d'assurances radin qui a taillé un if à l'entrée de sa maison à l'effigie de Margaret Thatcher, arbore une Légion d'honneur. On passe la soirée à tirer dessus en faisant « drinnggg dringgg ». Du moment que ça l'emmerde ! De retour de la Costa Brava, Brian Tops a mis la main sur une perruque rasta et une raquette de tennis et s'est déguisé en Yannick Noah, mais la plupart des invités, qui ne connaissent pas le champion français, le prennent pour une serpillière. Le gros Bob Scott porte un faux nez, mais il se fâche lorsqu'on l'appelle « mon général » parce qu'en réalité il est Gérard Depardieu.

Mais les plus étonnantes sont les femmes. Un automobiliste égaré à Abesbury ce samedi soir se frotterait les yeux. La rue principale du village, qui mène du bureau de poste jusqu'à l'église Saint John en passant par le grainetier et le fameux « souvenir shop », ressemble à Pigalle par une chaude nuit d'été. Des créatures divines, gainées de satin, perchées sur des talons vertigineux, battent le trottoir en attendant leur mari, en rigolant sous les réverbères. Elles abordent tous les passants. Le commis de Bob Foster, au volant de son petit tracteur, se fait d'ailleurs agresser par trois harpies : *« Hello darling ! Looking for a good time ? »* Il accélère et manque d'écraser le labrador neurasthénique de Maurice Hope.

Et moi ?

Costume sombre, parapluie, chapeau melon, et une petite moustache fabriquée à partir d'une vieille peluche qui traînait dans un placard...

– Mais, Michael... ? On est censé être déguisé en Français !

C'est Judy Parker, la rouquine à la poitrine opulente, qui devine la première.

– J'ai trouvé, Michael ! *I've got it !* Je sais qui tu es !

– Dites, Judy ! *Tell us ! Come on !*

– C'est le major Thompson !

– Nouveau style... ! j'ajoute.

Et tout le monde d'applaudir. Quelle bonne idée ! Bravo Judy ! Elle a gagné ! Je la récompense avec un *french kiss.* Brian Parker, son mari, un nain jaloux en béret, sera content de me voir partir.

A minuit, les fêtards se rassemblent dans le jardin et me chantent *Alouette* et *Frère Jacques.* Un toast est porté avec un mousseux bulgare. Mes poches sont pleines d'adresses utiles en cas de pépin – la plupart en Dordogne, ce qui me fait une belle jambe. Enfin, clé de voûte de la cérémonie d'adieu, un exemplaire d'*Une année en Provence* signé par tout le village m'est solennellement décerné dans un carton qui contient également une paire de bretelles décorées du drapeau britannique. Mon pantalon sera ainsi maintenu en position verticale par une tension patriotique. Au moment de se quitter, on s'embrasse six fois sur les deux joues, à la française : « Au revoir », « A bientôt ! », « Écrivez-nous ! », « Bonne chance ! », « Bon voyage ! », sans oublier de nombreux « Vive la France ! », ce qui amène naturellement les frères Colt et Bob Scott, très éméchés et fort patriotes, à chanter *God save the Queen*.

Ainsi était la France vue d'Abesbury under Lyme.

Tôt le lendemain matin, quand j'ai traversé en voiture le village endormi, les rideaux des noceurs étaient toujours tirés. L'Angleterre était mon oreiller, la France serait mon réveil.

3

Au moment de nous quitter, dans le jardin à Abesbury, Nigel Stokes, un professeur d'éducation physique déguisé en Brigitte Bardot, m'avait donné les coordonnées d'un ami, Max, steward sur une ligne aérienne desservant les pays de l'Est. Absent de chez lui quelques jours, son appartement, rue de Tombouctou dans le XVIIIe arrondissement, était disponible. L'adresse était irrésistible.

Après deux ou trois tours du boulevard périphérique, je trouve sans trop de problèmes la sortie porte de Pantin. Rue de Tombouctou, je suis censé m'adresser à un *truquet* (*troquet ?* l'écriture de Nigel n'est pas très claire), Chez Ali, où Max a laissé ses clés.

La chance est avec moi. Après quarante minutes, je parviens à trouver une place devant Chez Ali. Au-dessus de la porte, un néon fait la réclame pour une bière allemande. Sur les vitres, un panneau : « Couscous à toute heure. » A l'intérieur, tout en rideaux cramoisis et musique souk, il fait sombre. Ali, dont la dent en or est une oasis de lumière derrière le bar, me sourit. Il est petit, jeune et potelé.

– Bonjour, monsieur Ali ! Excusez-moi de vous déranger, je suis un ami de Max...

Le mot a un effet immédiat.

– Un ami de Max est un ami d'Ali !

Il me serre vigoureusement la main et me fait asseoir devant une nappe en papier. J'ai déjà déjeuné d'une bouillabaisse dieppoise, et le colonel m'attend dehors sur la galerie, mais Ali ne veut rien savoir.

– Couscous ! dit-il en secouant la tête, couscous royal !

Ne voulant pas le froisser, je me résigne à couscousser. Et je comprends maintenant l'accroche « Couscous à toute heure » : Ali est tellement généreux qu'en débarquant chez lui à n'importe quelle heure du jour ou de la nuit, que ce soit pour prendre un café ou acheter des allumettes, vous êtes obligé de manger du couscous. Je prends note. En rentrant tard après dîner, il me faudra passer devant Chez Ali à quatre pattes pour éviter la merguez de nuit.

Cinquante minutes plus tard, repu après mon five-o-clock maghrébin, clefs en main, je me trouve dans l'appartement de Max : deux pièces coquettes, plus une petite cuisine et une minuscule salle de bains. Je pose mes valises, installe le colonel sur le rebord de la fenêtre et m'allonge sur le canapé. C'est à ce moment-là que je les vois. Sur les murs, des filets de pêcheur ; « prises » dans les filets ou collées sur le mur, à des angles différents : des photos. Toutes les mêmes. Que des légionnaires, avec leur képi sur la tête, mais en slip. Pourquoi en slip ? Un nouvel uniforme ? Il fait très chaud dans le désert, mais quand même ! Je suis également obligé de constater que ces militaires, à moins de tricher à l'aide de mouchoirs, kleenex ou quenelles, remplissent leur Éminence avec une générosité confondante.

Le colonel me fait signe de la fenêtre. Je l'ai négligé trop longtemps. J'ouvre une bouteille de rouge et je prends un morceau de baguette. Le livarot est divin, majestueusement affiné par son voyage en Mazda.

J'ôte mon pantalon qui commence à me serrer, m'étends sur les draps en satin et m'assoupis. Pour me réveiller en sursaut au bruit de la porte qui s'ouvre : c'est Max, de retour plus tôt que prévu, accompagné de deux amis légionnaires !

Il m'embrasse tout de suite, ravi de me rencontrer. Max est petit, grisonnant, avec un début de calvitie et des yeux de furet. Il est très vif, volubile, il jauge immédiatement le côté non réglementaire de mon caleçon Fruit of the Loom.

– Michael ! Toutes nos excuses, mon vieux ! Le vol était annulé. Je passe tout simplement poser mes valoches.

– Je crois que je vais faire ma propre valoche, Max. Je ne voudrais surtout pas...

– Relax ! On va grignoter un bout ensemble, histoire de faire connaissance, et hop ! je vais dormir à la caserne. *Boys !* Au boulot ! Y a des Panzani dans le placard.

J'ai beau expliquer que j'ai déjà mangé une bouillabaisse dieppoise, un couscous royal et un livarot, et qu'un plat de pâtes ne s'impose pas, peine perdue. Torse nu, les légionnaires préparent déjà leur spécialité – les spaghettis à la vodka –, tandis que Max me fait un cours sur l'opéra baroque. Nous dînons sur le pouce – ils sont convaincus que je suis fatigué par le voyage ; à 23 h 10 la division Panzani a levé le camp.

Le lendemain matin, avant de partir, je laisse un mot, des fleurs, une truffe en boîte et une réplique de Buckingham Palace dans une boule de verre. Max était très hospitalier ; j'aurais dû enlever ma chemise et lui mitonner un lapin chasseur, mais je n'avais pas envie de me retrouver dans la nasse. Je laisse donc les clefs chez Ali, en refusant poliment mais fermement un café-couscous, et je reprends le périph, sortie porte d'Orléans, où j'ai déniché un hôtel. Ma chambre – dessus-de-lit marron, rideaux fleuris marron, eau courante marron – est une garantie d'indépendance.

Il me faut toutefois trouver rapidement un appartement. Où habiter ? Je feuillette mon guide de Paris. A bannir sans appel, tout nom avec trait d'union.

– Vous habitez où ?

– J'habite place Richard-de-Cordenhove-Kalergi.

Trop long. Il me faudrait dix minutes pour donner mon adresse. Dommage... La rue Adolphe-Pinard ne me déplairait pas. Ma libido et ma gourmandise expliquent sans doute mon intérêt pour le passage du Désir et la rue des Deux-Boules. D'autres noms sont bien moins alléchants. Rue Agar, ça fait malade. Idem pour la rue de la Tacherie (« Il a eu la tacherie à huit ans »). Rue Dieu, ça sonne trop arrogant. Rue Vassou, ça fait subalterne (« Il a été longtemps vassou chez Citroën ») et impasse Rothschild carrément ridicule. La plus pertinente est certainement la rue du Tunnel, mais je suis claustrophobe.

Plus tard, installé à une terrasse de café, je décode les offres du *Figaro* et du *Monde.* Choix alléchant : un P de T, dble séj. + 2 chbres, balc, ét. élevé, asc, est-ouest, m'a immédiatement séduit, mais tr. ch. Pour maintenir ma forme physique, je prendrai sans asc. De toute façon, il faut au moins un esc. Sinon, pour monter les ét., il me faudra une éch. Suis-je un prof lib ? Je suis un prof symp, mais lib ? Sur verd malheureusement était h. de prix. Mieux valait se limiter à vue dég. (dégueulasse ?) Très cher ég. les moulures (marinières ?). Je préférerais une cuis. à une k.ette. Mais il faut qc. car sans k.ette je suis cuit. Et un box ? C'est quoi, un box ? C'est un mot anglais qui veut dire « boîte » ou « carton ». Un carton ? Publie-t-on de nos jours des petites annonces pour SDF dans les colonnes du *Monde*? Loue carton Hermès vue dég. s. Seine ?

Je panique à l'idée de me présenter aux agences où l'on s'adressera à moi dans le même sabir immobilier :

– Bonj., M.

– Bonj., M.

– Je ch. un appart. p. ch.

– Paris ou pr. ban.?

– Rive g. si pos.

– Bien. V. voulez un caf ? un choc ? un t.?

Courageusement, je prends quelques rendez-vous. Bientôt, je maîtrise la technique. Mode d'emploi : attendre sur le trottoir parmi un groupe de personnes silencieuses. On ne fait pas la queue – ce serait une entorse à la liberté –, on se positionne. Dès l'ouverture des portes, on s'engouffre dans l'escalier tous en même temps. Là où un Anglais, dans des circonstances extrêmes, serait amené à se plaindre – « Excusez-moi, madame, mais votre yorkshire a mis sa queue dans ma narine », les Français se parlent à eux-mêmes : « C'est pas possible ! Mais quelle bousculade ! Mais qu'est-ce qu'ils ont à pousser comme ça ? »

En vérité, l'ordre d'arrivée est sans grande importance. L'astuce est d'avoir l'air d'un bourgeois rangé, riche, catholique, non fumeur, sans animal domestique et constipé. Faute d'avoir compris cela plus tôt, j'ai laissé filer une salle de torture moquettée sol et murs en fourrure chocolat, une cage à poutres (comme la grande salle de banquet du château de Blois) de 3 × 2,50 m, un appt. mod. qui sentait très fort la mois., et un beau deux pièces au-dessus d'une pizzeria très joliment tapissé avec de l'origan et des rideaux en mozzarella. J'ai vite troqué mon style sport – blue-jeans et pataugas Super U fabriqués en Corée du Sud – pour un style gentleman-farmer néo-grunge – chemise Oxford et Church's éculés. Me voilà rapidement sélectionné (parmi les vingt-cinq autres concurrents, bravo Sadler !) pour un appartement rue de l'Abbé-Grégoire. Je suis l'heureux futur locataire d'un deux pièces, simple, propre, au 6e ét. ss asc. pl. sud v. impr. sur les t. de P. Je suis (presque littéralement) aux anges.

Recommandation m'est expressément faite de bien décortiquer le bail avant de parapher et de signer chez l'administrateur de biens. Monsieur Rossi, petit homme souriant et râblé, mi-mafieux mi-classieux, porte de larges bretelles sur une chemise Lacoste violette. Il fume un gros cigare à l'entame éternellement mouillée comme le nez d'un labrador. Son bureau, dont les murs proclament une double allégeance, gravure de La Baule à gauche et chromo de la baie d'Ajaccio dans un cadre en coquillages à droite, est peuplé d'un harem de dames soumises et d'une ribambelle de plantes vertes malingres, victimes d'une absence de lumière et d'un excès d'eau.

Le bail dans son enveloppe kraft est aussi épais qu'un livre de poche. Heureusement, j'ai quatre jours devant moi pour l'examiner par le menu. J'ai droit à la boîte aux lettres n° 8, à la cave n° 17 avec « jouissance des équipements privatifs »... mon imagination s'emballe... Je ne peux ni démonter les portes, ni enfoncer des clous – ce qui m'obligera à scotcher mes Gainsborough –, ni mettre de fleurs, ni étendre du linge ou élever des oiseaux sur mon balcon. En revanche, aucune mention ni de bêtes fauves ni de rapaces, ce qui me laisse une certaine marge de manœuvre. Je ne transformerai l'appartement ni en boîte de nuit ni en hammam. Je ne peux ni sous-louer, ni faire la java avec des SDF, ni éternuer après 23 heures, ni faire pipi dans les géraniums. Pour dénoncer le bail, la procédure est simplissime : vingt-trois lettres recommandées suffisent pour régler rapidement l'affaire. Si, en revanche, je ne le dénonce pas, je serai tacitement reconduit et contraint de demeurer dans les lieux jusqu'à la fin de mes jours. Ah ! les beaux baux...

Rossi me gratifie d'un sourire carnassier. Odile, la quarantaine pastel, chaussures plates Eram et chignon, sort d'un placard pour nous apporter stylo et buvard.

Lu et approuvé.

4

Les Français partagent avec les hérissons la réputation d'être d'un contact difficile et de se faire écraser en grosses quantités sur les routes. Cette renommée n'est pas méritée. Côté hospitalité, il suffit, en effet, de vous présenter comme quelqu'un d'invitable pour être invité. En revanche, si vous débarquez avec un énorme sac à dos, si vous refusez le pastis et si, à table, vous regardez dans l'assiette qu'on vous présente comme si vous cherchiez votre dentier au fond de la cuvette des W.-C., vous n'avez aucune chance de gagner vos galons d'invité. Au fond, ce que les Français aiment chez l'étranger, mis à part quelques lecteurs du *National Geographic* qui sont transportés aux anges lorsqu'ils découvrent un Papou, avec ses femmes et ses flèches sur leur paillasson, c'est son potentiel de « conversion ». Le complexe du missionnaire, en somme.

En arrivant à Paris, j'ai commencé par téléphoner à Bernard Dubost, l'ami d'une amie qui travaille dans l'édition, à Londres. L'invitation à dîner est immédiate. Il habite à la Bastille et me convie jeudi vers 20 h 30.

– Ah ! j'oubliais le code. Vous avez un crayon ? me dit Bernard avant de raccrocher.

– Le code ?

– Le code, c'est 247 A 62. Escalier D sur cour. Quatrième gauche.

Chouette.

Jeudi soir, 19 h 30, chez le fleuriste. La variété m'éblouit et, en même temps, m'embarrasse. Le vendeur suit mon regard avec approbation.

– Les renonculacées plaisent toujours

Qu'est-ce qu'il raconte ? L'achat d'un simple bouquet nécessite-t-il une connaissance aussi poussée de la botanique et de l'étymologie ? J'avais oublié : les fleuristes sont des as qui passent leurs heures perdues dans les toilettes à potasser leur herbier et le catalogue Vilmorin, histoire de vous bluffer. Il ajoute un truc du genre :

– *Encolitus hibernatus*.

Je m'en doutais. Mon fleuriste est un *potassus latrinus*. Je refuse de perdre la face.

– En fin de compte, je crois que je vais plutôt les prendre les...

Je braque mon doigt vaguement nord, nord-est.

– Les hellébores ?...

Il ne m'aura pas. Je me baisse et saisis dans un seau un bouquet pré-emballé.

– Non. J'ai changé d'avis. Je vais prendre celles-ci.

Et vlan. Ce sont des clochettes dégingandées qui n'ont pas l'air mal. J'ai un faible pour les clochettes.

– Très bien.

Il ne les nomme pas. Elles doivent être bon marché.

– C'est pour offrir ?

La question m'intrigue. J'ai envie de répondre :

– Non. C'est pour assommer. Je vais y enfouir un poids de quatre kilos et, lorsque mon ex ouvrira la porte, je lui dirai : «Chérie, c'est pour toi... », et BOOOOOM.

Ça s'appelle le coup fleuri, le bouquet en somme.

En Angleterre, on entre chez le fleuriste et on dit : « Je prends les bleues. » Sur ce, le jeune homme avec un anneau dans le nez emballe les bleues dans du papier kraft comme s'il roulait un joint (sans doute avec un peu moins de précaution) et hop ! c'est parti comme une lettre à la poste. En France c'est *hibernatus* et psychodrame.

Clochettes *(clochatus degingandus)* en main, je prends le métro. Mauvaise chronologie. Il aurait mieux valu prendre le métro d'abord et me procurer les fleurs ensuite. Excessivement difficile de protéger ma gerbe dans le wagon bondé – clochettes en haut, clochettes en bas, clochettes au-dessus de la mêlée. Pis : en arrivant place de la Bastille, je me trompe de sortie et la brise du bassin sème la zizanie dans le bouquet. Pas le temps d'y mettre de l'ordre ni d'admirer les bateaux. La rue de la Roquette se trouve de l'autre côté de la place. Il est déjà 20 h 45.

J'arrive devant l'immeuble. Catastrophe. Pas de code. Pas de téléphone. Que faire ?

Le café du coin va bientôt fermer, les chaises en formica marron sont empilées ; le patron en bras de chemise, le nez dans son évier, ne me prête aucune attention.

– Excusez-moi, monsieur, mais j'ai oublié le code du numéro 14.

Bourru, il lève la tête et s'essuie les mains sur son pantalon en tergal défraîchi.

– Et alors ?

Je ferais un rapport à l'office du tourisme : accueil 3/20.

– Je me trouve dans une situation embarrassante. Je suis invité à dîner et je ne peux pas entrer.

– Même si je l'avais, je ne pourrais pas vous le donner.

J'ose une construction grammaticale :

– Si vous l'aviez eu, monsieur, assurément vous auriez pu me le donner à cause de mon bouquet.

La logique est peut-être défaillante, mais la concordance des temps est impeccable. Il s'impatiente car la phrase me prend cinq minutes et me regarde avec un sourire qui veut dire : « Tu ne m'auras pas comme ça. » Essayons de l'amadouer.

– Je prendrais bien un petit beaujolais.

De mauvaise grâce, il sort un verre de l'aquarium gluant dans lequel il fait la vaisselle depuis 6 heures du matin, l'essuie avec le torchon séculaire et me sert un beaujolais tiède. Il n'est pas dupe de ma petite stratégie – l'emmerdeur qui consomme pour avoir un renseignement. Tout en empochant mes 17 balles, il me balance :

– Et qu'est-ce qui empêche un voleur de s'acheter un bouquet ? Hein ?

L'argument me prend de court. S'appuyant sur le bar, il s'engouffre dans la brèche. Cet homme aurait voulu être avocat. Je suis tombé sur le Vergès du zinc.

– Et de toute façon, la plupart des mecs à la con que vous voyez avec des violettes à la main, à votre avis, c'est quoi ? C'est des cambrioleurs qui cherchent à tromper leur monde, oui, monsieur !

Et il tape sur le comptoir pour souligner sa conclusion.

– Et s'il y a tellement de fleuristes dans les beaux quartiers, c'est pour une bonne raison, non ?

Anéanti par le brillant raisonnement, je décide de retourner devant l'immeuble. Il est maintenant 21 heures passées et le bouquet et moi-même commençons à faner. Sur le trottoir d'en face, je m'époumone : « Monsieur Dubost ! Monsieur Dubost ! » Mais habite-t-il sur rue ? Sur le rebord d'une fenêtre, un pigeon me regarde avec dédain. Si personne ne m'entend, tant pis, je rentrerai à la maison, téléphonerai à Bernard Dubost et boufferai mes clochettes.

A ce moment précis, quatre personnes se pointent devant l'immeuble et tapotent sur le digicode. Au péril de ma vie, je retraverse la rue et parvient de justesse à bloquer la porte avec mon pied. Le groupe se retourne froidement pour dévisager l'intrus. Bafouillant, je raconte mon histoire. Le groupe ne bronche pas et me laisse entrer, méfiant.

On se retrouve dans un dédale de couloirs et d'escaliers. Je ne me souviens évidemment pas de la lettre de l'escalier. Pour ne pas donner une impression louche, je les suis. On me tient la porte :

– Merci, monsieur.

Nous attendons l'ascenseur en silence. Il est très exigu et la porte métallique à accordéon menace de découper une fine tranche de ma fesse gauche..

– Quel étage, monsieur ?

Ô miracle, je m'en souviens.

– Quatrième, s'il vous plaît.

Me traiter de « monsieur » alors que j'ai le museau écrasé contre le loden de mon voisin, voilà qui est curieux, mais ne crachons pas sur la courtoisie. Je dois de nouveau tenir les clochettes au-dessus de ma tête. Quatrième étage, tout le monde descend. Pendant que j'essaie de me rappeler si c'est à gauche ou à droite, eux sonnent à une porte qui s'ouvre, ô surprise, sur Bernard Dubost en personne.

– Ah ! vous êtes les premiers. Vous vous êtes présentés ?

Une fois dans l'appartement, le groupe patibulaire de l'ascenseur se métamorphose d'un seul coup. Froid dehors, chaud dedans. On sourit. On se présente. Une belle blonde tailleur, une belle brunette pantalon, une trapue charmante, un plutôt gros fumeur tweed, un plutôt mince binoclard non fumeur jeans, un costume cravate qui sort d'un pince-fesses. Ils partent tous d'un « Ah ! ça s'explique » quand Bernard leur apprend que je suis anglais. Bernard me demande poliment si les fleurs sont pour lui. Il est très touché. Lui aussi a un faible pour les clochettes. Un autre couple arrive. La soirée peut commencer.

Le maître de maison sert à boire : trois whiskys, trois verres de vin rouge, un jus de fruit et un Pernod. Un Pernod ! On s'esclaffe.

– T'as apporté tes boules, Jean-Loup ?

Et le badinage de démarrer sur les chapeaux de roue. On n'a pas le temps de s'ennuyer. La conversation est un zapping hallucinant. Attachez vos ceintures.

Premier sujet de conversation : un classement sociopolitique des marques d'apéritif. Le Banyuls est-il bourgeois, le pastis plouc, le Chivas chic ? Je me retire dans mon jardin intérieur pour composer une contribution pertinente, mais quand j'émerge, ils ont déjà changé de conversation. Je reprends mes marques. Les voilà sur le dernier film d'Éric Rohmer : film fin ou film tarte, avant-garde ou *soap* ? Très bien. Je retourne au jardin concocter une phrase sur *Ma nuit chez Maud*, mais lorsqu'elle est au point, ils sont déjà ailleurs. Je ne les rattraperai jamais. Autant courir après des feux follets.

Le rôti arrive. Personne n'ose dire au maître de maison qu'il a oublié de l'enfourner. Saignant, je veux bien, mais cru ! Un invité, certainement aussi daltonien que courtois, utilise l'adjectif bleu. Je prends note. Si j'invite à dîner, pas la peine de faire cuire le repas.

Et de nouveau, ça discute ! Nouveau sujet : quel avenir pour la télévision publique ? Le débat est mené à fond de train par un journaliste télé presbyte qui parle tellement vite que je ne comprends que le premier et le dernier mot de chaque phrase. Entre ces deux rives, telle une Ariane funambule, je tisse mon fil. C'en est trop pour moi. Je fais grève, me sers un verre de rouge et commence à rédiger sur ma serviette la liste des sujets abordés : s'arrêter de fumer ; les gros seins ; s'arrêter de boire ; la découverte d'un petit vigneron champenois qui a une combine ; le minimalisme ; le sous-lieutenant Marcos ; les gros seins.

Arrive le point culminant de la soirée. La visite.

Bernard se lève, l'œil espiègle.

– Et si on faisait un petit tour au jardin...

Un jardin au quatrième étage à la Bastille ? Ma question ne me rapporte que des clins d'œil et des « chut ». Je vais voir ce que je vais voir... Verre à la main, nous traversons l'appartement et, comme des touristes à Chambord, nous pénétrons dans la chambre de Bernard. Avec solennité, il ouvre la porte d'une grande armoire de campagne en bois sombre, écarte des pantalons en tergal qui font office de rideau et, comme un magicien, nous dévoile son arboretum : six petits plants de cannabis gringalets qui baignent comme des poussins dans la lumière glauque d'une ampoule chauffante. Bernard est fier de son installation. C'est le cartel de Medellín en chambre. Et chacun de s'extasier, humant l'odeur du shit mélangée à celle plus lointaine du pressing, comme des junkies à Giverny.

– Il faut quand même faire très gaffe, nous explique le jardinier.

Une ampoule trop puissante, achetée par mégarde, avait décoloré ses Church's. La culture de l'illicite est un sacerdoce.

On regagne le salon, on s'enfonce à l'horizontale dans les fauteuils usés et on tombe d'accord. Le problème majeur de la société, ce sont les cons. Ah ! Les cons ! Ils se ressemblent tous à cause de leur « tête de con », ils se marient entre eux (les « bandes de cons »), font des enfants (« des petits connards ») et dirigent le pays (« ces cons qui nous gouvernent »).

Même s'ils sont d'accord les uns avec les autres, les invités s'étripent. Ils ne débattent pas, ils s'engueulent. Une phrase part en fusée, vite rattrapée par le feu des missiles sol-air tirés par les copains. Ils gesticulent, crient, tapent. Ils deviennent rouges de colère. Ils sont au bord de l'apoplexie. Les femmes protestent puis se jettent elles-mêmes dans la mêlée. Tout le monde se lève, s'assoit, lève les mains au ciel.

Et puis, comme si Cupidon descendait des cintres pour le dénouement de l'opérette, après trois heures de pugilat, tous réalisent tout à coup qu'ils travaillent le lendemain matin et qu'il est l'heure de partir. Les femmes embrassent les femmes, les hommes embrassent les hommes, tout le monde se met d'accord pour aller rejoindre le sous-commandant Marcos au fin fond de la jungle mexicaine et rideau ! Eux, les sportifs de la mâchoire, sont en pleine forme. Moi, qui n'ai que très peu contribué à la soirée, je suis épuisé.

– C'est ça, la gauche caviar, me dit Bastien avec un sourire. Il vaut mieux parler qu'écouter.

Dehors, sur le trottoir, dans ce moment euphorique qui suit la fin d'un repas arrosé, on s'adonne à un rituel essentiel. Juste avant de se disperser, les Parisiens échangent leurs cartes de visite et se font des promesses d'invitation qu'ils ne tiendront jamais. Que voulez-vous ? A table, on livre son intimité à des inconnus qu'on ne peut pas revoir – car ceci impliquerait une nouvelle relation amicale, et les amis, on en a déjà trop ! Donc on utilise la carte, symbole d'une amitié virtuelle. Butin de la soirée : Élisabeth Terrier, expert-comptable ; Caroline Ponge, styliste ; Ivan Terrier, journaliste ; Jean-Damien Prince, éditeur ; Bastien Lescure, publicitaire.

Ça peut servir. J'ai récemment présenté comme étant mienne la carte d'un professeur de saxophone excessivement barbant à une dame qui avait passé toute la soirée à me vanter les avantages du désherbant Round-Up. Qu'ils s'appellent donc entre eux et qu'ils se fassent une bouffe. Sans moi.

5

Ce matin, je quitte l'hôtel porte d'Orléans et son mini-balcon sur le périph pour m'installer dans mon nouvel appartement. Le monte-charge extérieur et les couvertures grises des pros du déménagement étant superflus pour le transport et l'installation de mes brimborions, l'opération s'effectue en Mazda rouge.

Je traverse Paris en suivant un itinéraire déterminé à l'avance. Laissant la rue Saint-Placide à ma gauche, je passe devant la rue de l'Abbé-Grégoire et la rue de Bérite, tourne à gauche dans la rue Jean-Ferrandi, à gauche dans la rue de Vaugirard, et finalement à gauche dans la rue de l'Abbé-Grégoire – faisant le tour du pâté de maisons. Jusqu'ici tout va bien.

Rue de l'Abbé-Grégoire, ça se corse. Il n'y a pas de place pour stationner. Je fais un autre tour, à gauche rue du Cherche-Midi, à gauche rue Jean-Ferrandi, à gauche rue de Vaugirard, à gauche rue de l'Abbé-Grégoire. Le boucher, sur le pas de sa boutique, me voit revenir. Mais toujours rien. Je décide de faire comme les Parisiens. Je vais stationner en double file et décharger rapidement tout mon barda. Je mets les feux de détresse et sors de voiture. J'ouvre le coffre. Et voilà qu'une Punto rose s'immobilise à un mètre cinquante de mon pare-chocs arrière. Le chauffeur ne bouge pas, mais tapote nerveusement le volant de sa main droite. Mes glandes, qui avaient pourtant pris un rythme continental, se mettent à irriguer mon système d'un flux d'enzymes anglo-saxonnes.

Je me sens gêné.

La gêne existe aussi en France. Mais le Français ose. Il stationne sur les clous et croise les doigts. La gêne, c'est pour les autres, pas pour lui. La gêne anglaise est plus encombrante. Vous ne me croyez pas ? Allez dans un cinéma anglais après le début du film. Choisissez une place au milieu du rang et marchez sur le pied du premier spectateur. Que se passe-t-il ? C'est lui qui vous demande pardon. *« Awfully sorry ! »* On adore ça en Angleterre ! Ce n'est pas le piétineur, c'est le piétiné qui s'excuse. Voilà un truc imbattable pour reconnaître un Britannique dans le noir.

J'ouvre donc le coffre d'un air faussement dégagé, prends une valise et ma plante verte et les pose sur le trottoir, sous l'œil narquois de la Punto. J'essaie de l'ignorer. Je fais le code de l'immeuble. Ça ne marche pas. Impossible de remettre la main sur mon agenda. Je laisse les sacs sur le trottoir et retourne à ma voiture. Le boucher, toujours sur le pas de sa porte, gardera un œil sur mes affaires. Vaugirard, Abbé-Grégoire, Cherche-Midi, ce n'est pas la mer à boire. Et hop ! nous voilà partis pour un troisième tour. Le boucher me voit revenir avec soulagement. La plante verte tourne de l'œil et risque l'insolation.

Me voici de nouveau en double file, coffre ouvert. Je suis sur le point de me remettre au boulot, quand une Mégane s'arrête à cinquante centimètres de mon pare-chocs. Je regrette immédiatement la Punto. Le pilote de la Mégane a la mine d'un homme qui a passé sa journée à ne pas fourguer ses photocopieuses dans les galeries marchandes du quartier.

– Bordel !

J'ai juste le temps de sortir la deuxième valise et un grand cabas bourré de livres, de saucissons et de bananes vertes.

– Et maintenant le voilà qui nous joue le retour des Bronzés ! C'était bien, les vacances ? Et merde !

Le congestionné allume une Camel. Dans un élan de solidarité, je remonte en voiture et je décongestionne. Jamais trois sans quatre. Le boucher me regarde, perplexe. Il commence à avoir le vertige.

Ce qui devait arriver arrive. Je retrouve ma place attitrée en double file, j'active les warnings, je déverrouille le coffre et une troisième voiture se pointe dans le rétroviseur. Je prie le ciel pour qu'il m'envoie un automobiliste compréhensif, sinon je risque de perdre ma plante et le respect du quartier. Quelle chance ! Une Peugeot 606, très vieille France, s'arrête à une distance très respectueuse de mon pare-chocs et – ô joie – coupe son moteur. J'esquisse un geste larbin vers le véhicule qui affiche un écusson genre parking du Rotary.

J'ouvre le coffre, je prends un cubitainer de piquette dans la main gauche et le toaster rose déco sous le bras et je m'arrête net. Je ne veux plus décharger. Pas en double file. Vider son coffre en pleine rue, c'est se mettre à nu.

Pour masquer mon embarras, je décide d'opter pour la stratégie suicidaire. Je passe devant la 606 avec PC et imprimante, mimant un sherpa sur les pentes de l'Himalaya ; je trimbale le cabas à chaussures en jouant l'esclave exténué qui s'éponge le front. Tout comme le boucher, la 606 ne bronche pas. Ils doivent me prendre pour un demeuré. Rester en double file ne leur poserait aucun problème.

A chaque pays son blindage. Les Indiens sont blindés à la pauvreté, les Africains à la maladie, les Esquimaux au froid, les Japonais au travail, les Anglais à l'hypocrisie et les Français aux autres.

Une fois installé, quel plaisir d'être chez soi, à Paris !

L'appartement semble vide. J'ai rangé tous les paquets dans la chambre. Ce soir, je coucherai par terre. Demain, achat d'un lit et d'une cuisinière. Devant moi, une plage d'ardoises et de zinc. J'ai acheté des chips, du jambon, un camembert et une bouteille de côtes-du-Rhône. Assis sur le plancher, je mange avec mes doigts et je bois trop vite.

La nuit tombe. En écoutant la musique rap du troisième, je regarde, sur la télé de l'appartement d'en face, un film que j'abandonne au troisième cadavre. Le plancher est dur. J'ouvre une deuxième bouteille pour assouplir mon corps et pour rincer mes dents.

Le bonheur.

6

Le café en bas, Le Balto, est petit mais lumineux. Sur le bar en zinc, il y a toujours un présentoir à desserts maison : pavé au chocolat, gâteau à la rhubarbe. Sur le mur du fond, une peinture murale : des petites barques amarrées à un ponton attendent les personnages de *Nogent Eldorado du dimanche*, le film de Marcel Carné que j'ai vu sur Arte et entièrement compris, puisque c'était « en muet », comme on dit. Le patron du café est très grand, moustachu, éternellement vêtu d'un pull-over bleu col en V sans manches. Il s'appelle André, mais tout le quartier l'appelle Dédé l'Asperge. Sa femme Gilberte est blonde, vive, accueillante et encyclopédique. Contrairement à son homologue bourru de la Bastille, elle connaît tous les codes de tous les immeubles de la rue. Moi qui n'ai jamais eu « mon pub » en Angleterre, je suis content d'avoir « mon bistrot » à Paris.

Chez l'Asperge, j'ai remarqué un groupe de commerçants du quartier qui se réunit tous les soirs pour l'apéritif. Ils s'amusent beaucoup. J'envie leur camaraderie. Ils s'embrassent, se pincent les joues, se donnent des bourrades – et cette fraternité physique bien française me plaît énormément. Du coup, en me rasant le matin, je m'exerce à l'autobadinage :

– Salut, Michael, ça gaze ?

Et je me réponds :

– Ça boume, mon vieux, ça boume !

A la longue, je trouve mon badinage solitaire un peu con.

Je les connais tous de vue. Ce sont des personnalités du quartier. Monsieur Goujon, le boucher, trapu et solide comme une cuisse de charolais ; Francis, le gérant du magasin Nicolas, qui fait de la musculation pour supporter les affres de la livraison, mais qui reste étonnamment mince et pâle pour un marchand de gros rouge ; Jean-Claude, le congestionné de la Mégane, qui sillonne les routes de l'Ile-de-France pour une marque japonaise de photocopieurs, et qui n'est pas, comme on dit, « forcément de gauche » ; et Didier, le jeune poissonnier avant-garde, cheveux en brosse et lunettes d'intello. Sur la touche, narquois mais professionnel derrière son comptoir où il essuie perpétuellement des verres avec un torchon à carreaux, Dédé l'Asperge lui-même arbitre les réunions du Club des cinq.

Les tout premiers soirs, ils ne m'ont pas remarqué. A la fin de la deuxième semaine, M. Goujon m'a salué d'un « bonsoir, monsieur », et les jours suivants, les autres l'ont imité. A la fin du mois, le « monsieur » formel est abandonné et le « bonsoir » s'accompagne d'un sourire et d'un très apprécié « ça va ? ».

Leurs histoires, toujours livrées à voix basse, je les connais, car j'ai l'oreille fine. Lucien Goujon est devenu, grâce à ses talents, sa viande et son quartier, le boucher du Gotha. Comme un psy du billot, auréolé de confidences dont il ne parle que très peu, il partage les secrets des grands de ce monde. Concentré sur son travail, petit bob blanc sur la tête, il explique *sotto voce* à ses intimes que « c'est l'épaule de Lionel ». Il met ainsi de côté, nous dit-il, le gigot de madame Aubry ou le râble de madame Sagan. Mal lui en prend. Les clients, non contents de contempler, comme des Grecs devant l'autel, le morceau de choix sélectionné pour les dieux, tentent de le soudoyer pour détourner ces commandes. Démocrate, il nous assure avec emphase que toute sa clientèle est servie à la même auge.

Hier soir, mon oreille, plantée comme un micro dans une gerbe de fleurs, je partageais comme d'habitude leur conversation. Didier a un problème. Il est trop sensible aux *desiderata* de ses clientes. Madame Soulat craint les mauvaises surprises ? Il désarête le saumon à la pince à épiler. Madame Jouvet ne mange que du poisson français ? Il récite par cœur le CV de sa lotte. Depuis peu, toute sa clientèle exige son poisson en filets – de la sardine au turbot. Or, pour lever des filets, il faut du temps. Aussi, pour éviter l'attente, il embauche des « filetteurs ». Résultat : le prix du poisson augmente. Trop. Et la file d'attente diminue. Les « filetteurs » glandent. Il désembauche. Le prix baisse, la file augmente. Il embauche des « filetteurs ». Etc. Un casse-tête ! Le soir, chez Dédé, il vide son spleen. Le zinc est son divan.

– C'est vrai, approuve Jean-Claude. Poissonnier, c'est pas simple ! Si on tombe sur une arête, y a un os !

Et de se plier de rire, et de se taper dans le dos, et de se pincer.

A ce moment, un coup de blanc arrive sur ma table.

– Pour moi, monsieur Dédé ?...

Je ne suis certes pas mécontent de boire un sauvignon de plus, mais je ne l'ai pas commandé. Dédé me sourit.

– C'est de la part de ces messieurs...

L'Asperge fait un signe de la tête en direction du Club des cinq. Ils me regardent en souriant. Je lève mon verre et ils me font signe de les rejoindre.

Moment solennel. Je suis en train d'être accepté.

Ils m'expliquent. Ils parlent tous plus ou moins en même temps.

– Faut pas penser que le Français n'est pas accueillant !

– On a mauvaise réputation, mais c'est la faute aux journalistes.

– On aime bien les Anglais !

– Et les Anglaises !

– C'est un beau pays, l'Angleterre !

– A part le *fog*...

– ... et la conduite à gauche !

Ils paraissent contents d'avoir un Anglais à leur table. J'ai dû fuir le bœuf et la bouffe... Ah, la bouffe anglaise ! Ils imaginent ma triste vie d'avant, mes repas de viande trop cuite, arrosée de confiture dans un brouillard de purée de pois dont le seul avantage est de cacher le contenu de l'assiette. Pauvre rosbif !

Jean-Claude, qui est allé une fois à Bournemouth pour le Salon international de la photocopie, parle en connaissance de cause :

– J'ai perdu cinq kilos !

– T'aurais dû prendre des photocops de sauciflards dans ta valise, andouille !

On rit. Personne ne me touche ni ne me palpe, mais c'est tout comme.

Sonnerie de téléphone. Dédé répond sur son nouveau portable SFR. C'est son copain, le gérant du bar d'en face, qui veut savoir qui je suis.

– C'est mon prof d'anglais. Tu savais pas que j'apprenais l'anglais ?

Il raccroche.

– Comment est-ce qu'on dit prof d'anglais en anglais ?

– *English teacher. He is my English teacher.*

– *I izz maï ingleesssbh...*

– Messieurs, messieurs ! S'il vous plaît ! Ici, on parle français !

Jean-Claude, le seul à ne pas être enchanté de ma présence, se dirige vers les toilettes pour mettre le tourniquet en marche (je note l'expression) en remontant son pantalon ceinturé. Son bide est un monument en l'honneur de la cuisine française. Dédé, ironique, lui lance :

– Tu devrais faire un Montignac !

Et tout le groupe de conspuer ledit Montignac – moi compris, alors que je n'en ai jamais entendu parler. C'est un gâteau ?

Je veux payer une tournée, mais on me l'interdit formellement, puisque c'est moi l'invité.

A la fin de la soirée, vers l'angélus, lorsque le café commence à se vider et que Dédé et Gilberte montent les chaises sur les tables, le groupe, à voix basse – c'est une société secrète –, me lance une invitation. Un lundi par mois, ils déjeunent dans l'arrière-salle de la boutique Nicolas et ne mangent que des choses – ils échangent un sourire de connivence – ... interdites. Clin d'œil appuyé. In-ter-dites ! Est-ce que j'accepte d'être des leurs ?

J'accepte, avec une fierté mêlée d'appréhension.

7

Je me suis levé de bonne heure pour faire quelques exercices de relaxation. Je me suis allongé par terre, j'ai placé un livre sous ma nuque et j'ai respiré lentement. Ensuite, j'ai pris un petit déjeuner substantiel, comme un footballeur qui se prépare pour un match décisif : jambon, fruits secs. J'ai bu un café léger pour ne pas accroître mon énervement.

Hier, j'ai acheté des rations de survie : noisettes, chocolat noir, Mars. Je me prépare une thermos de thé très sucré. Tout est prêt. Depuis longtemps, j'étudie le plan, en pensant au jour J où je me lancerai enfin.

Je descends chercher la voiture. Si elle savait... Monsieur Goujon me fait un salut de la main. S'il savait...

Je vais tenter une approche par la voie sud vers 10 h 46. Je ne choisis par la facilité, mais c'est l'accès le plus logique. Voiture allégée, quelques provisions sur la banquette arrière et le plan d'attaque scotché sur le tableau de bord.

Rive gauche. Je me sens détendu. Au pont de l'Alma, la tension commence à monter. J'essuie mes mains avec des kleenex. Je remonte l'avenue Marceau. La cible se précise, la nervosité me gagne. Et soudain se dresse devant moi, vaste et menaçant, l'Everest de mes cauchemars, le cap Horn des automobilistes : la place de l'Étoile.

J'ai traversé bien des épreuves, mais jamais d'aussi redoutables.

Inspiration. Le feu passe au vert. C'est le moment. La gorge nouée, j'entre dans l'arène.

La circulation est dense. J'ai à peine le temps de calculer ma trajectoire d'entrée – azimut 30 degrés sur l'avenue de la Grande-Armée, avenue des Champs-Élysées. Pas le temps de réfléchir davantage. La Mazda fait partie d'une phalange de voitures venant de l'avenue Marceau. Heureusement, je ne suis pas tout seul. A mes côtés, une Xanthia pilotée par un retraité au visage rougi par l'effort et une camionnette conduite par un maçon au visage blanchi par le plâtre. Fine équipe. Nous forçons le passage. Avancer, il n'y a que ça qui compte. Occuper le mètre suivant. Prendre ce qu'il y a à prendre. Semer les autres centimètre par centimètre.

¡ No pasaran !

J'ai l'estomac noué. Ça doit être la faim, ou la peur. D'une main fureteuse, je farfouille dans mes rations de survie sur la banquette arrière. Je croque. Merde ! J'ai bouffé un kleenex. Tant pis. La ouate épongera l'angoisse.

L'Étoile, c'est un immense puzzle dépareillé aux morceaux enchevêtrés. Subitement, le pot au noir. Plus rien ne bouge. Tout est coincé. Mais voilà qu'une 205 s'évade, libérant un espace. On slalome à droite, on godille à gauche. Chacun pour soi. Ça fait maintenant trente minutes que je suis sur la place de l'Étoile et je commence à trouver ça génial.

Je fais plusieurs tours, ce qui me permet de jeter un œil sur le tombeau du chauffeur anonyme et de lier connaissance avec une famille de touristes japonais, occupée à prendre des photos.

Entrer était difficile. Comment en sortir ? Grâce à une voiture de police ! Appelé en urgence, un policier baisse la vitre, plaque un gyrophare sur le toit et fonce ; je le suis. La prochaine fois, je ferai la même chose en collant mon livarot à la place du gyrophare.

Je sors avenue Marceau, par où je suis arrivé. Le goût de la réussite est grisant. Je me gare dans une contre-allée, j'entre dans un café et je descends un cognac pour me remonter. J'ai les jambes flageolantes, je suis nerveusement épuisé, mais je l'ai fait. *I did it !* Un jour, je raconterai mon expérience à mes petits-enfants rassemblés, le soir, autour du feu. J'aurais pu passer une année à Paris en prenant les chemins de traverse. Rejoindre Pigalle par Pontoise. Mais un homme de ma trempe n'écarte pas les défis. Je suis maintenant un conducteur étoile !

Je me retourne pour contempler le champ de bataille où l'empoignade continue.

Et je suis frappé par une vision.

En plein Paris, au cœur de la France, une grande place. Belle, vaste, monumentale, d'une majesté à vous couper le souffle. L'épicentre d'une vision architecturale parfaitement géométrique. Tous les jours, cette place, ce sublime centre de l'Hexagone, est transformée en une allégorie qui proclame haut et fort la contribution majeure de la France à la civilisation occidentale : le bordel.

8

L'oubli du code, le bouquet débraillé et mon manque de repartie n'ont pas dû laisser un souvenir impérissable aux convives de la Bastille. Aussi suis-je très étonné de recevoir une deuxième invitation à dîner. Une voix féminine au téléphone :

– Monsieur Sadler ?

Plaisir et grammaire font mauvais ménage. Je bafouille :

– Oui... c'est lui en personne qui vous parle présentement.

Elle s'appelle Édith Delluc. Le nom ne me dit rien, mais elle se présente en m'expliquant que nous avons dîné ensemble chez Bernard Dubost. Je passe rapidement en revue les cartes de visite que j'ai soigneusement conservées. Pas plus de monsieur que de madame Delluc.

– Vous vous souvenez de moi ?

Légère hésitation avant d'opter pour une réponse à la française :

– Absolument. *Of course !*

Vous allez penser que je prends les Français pour des menteurs et les Anglais pour des chevaliers de l'honnêteté. Pas du tout ! Là où l'Anglais, bêtement franc, aurait la rustrerie d'avouer son inélégance, le

Français a l'élégance de camoufler sa rustrerie. J'ai tout simplement choisi mon camp. Le dîner – une petite soirée informelle – est prévu pour jeudi.

Monsieur et madame Delluc, ou madame Delluc et son amant ou madame Delluc toute seule (a-t-elle dit « nous » ? Je n'en sais rien) habite rue Gounod, dans le XVIIe.

– Cette fois-ci, notez bien le code, monsieur Sadler !

Sa voix est enjôleuse. Je rougis.

Où se trouve la rue Gounod ? *Paris/Banlieue*, pages 32-33 : J 14. Par où passer ? Par l'Étoile, évidemment ! L'Étoile ? Bagatelle !

Jeudi 20 h 15, en haut de l'avenue Marceau, je brûle le feu, traverse la place en diagonale, passe directement sous l'arc de Triomphe, en slalomant autour de la flamme pour ne pas abîmer la peinture métallisée, et sors de l'autre côté, aussi cool que le baron noir. Au passage, les Japonais me prennent en photo. Non mais...

Code en tête et bouquet à la main – pas une clochette ne dépasse –, je me trouve rue Gounod à l'heure dite. La porte s'ouvre. Je ne reconnais pas madame Delluc, mais je lui offre les fleurs illico. Elle a l'air ravi, mais gêné, ce qui s'explique lorsque Édith Delluc – la vraie – reprend la gerbe des mains de sa bonne.

– Merci, madame de Souza.

Ça commence bien : elle doit me trouver franchement tarte.

Édith Delluc est une femme élégante, svelte, chic, maquillée, embijoutée, à la bouche rieuse et au regard effronté. La mémoire me revient, chez Bernard Dubost elle était accompagnée de Jean-Damien Prince, l'éditeur. Le vrai, l'authentique monsieur Delluc, qu'elle s'empresse de me présenter dans le salon, est beaucoup plus âgé qu'elle. Au début de la soirée, j'ai même pensé qu'il était son père, mais en se levant pour se diriger vers la salle à manger il a effleuré délicatement sa taille de sa main droite.

L'appartement est immense. Les plafonds sont tellement hauts que même les meubles, une collection Empire dorée et mastoc, paraissent trop petits. Aux murs, des tapisseries galantes – une dame se fait courtiser au milieu d'un troupeau de licornes désapprobatrices – et des tableaux de maître. Je sirote mon porto face à deux colosses genre mafioso en slip de légionnaire, qui tentent de cacher le contenu de ce qui doit être une lettre recommandée à un autre mafioso, portrait craché de monsieur Rossi moins les bretelles, assis sur un nuage, brandissant un éclair.

Au milieu de tant de majesté et de richesse, la conversation semble quelque peu banale. Deux invités, qui habitent le même quartier, se sont découvert un nouveau boulanger sublime. Élie-Charles, un large retraité bronzé en Lacoste rose, fuit l'ennui en jouant au golf, mais le recrée dès qu'il en parle. Un grossiste en brosses à cheveux et blaireaux évoque Marrakech sur un ton rasoir. Un industriel désabusé se lamente sur le déclin de l'Occident devant un haut fonctionnaire, dont la femme œuvre dans un cabinet ministériel. On cherche sa silhouette rose fuchsia à l'arrière-plan d'une photo de *Paris Match* prise lors de la visite dudit ministre dans un club de jazz fondé par des chômeurs en fin de droits à Besançon. C'est elle, là, à gauche du ministre ? Non. C'est un géranium. Nous sommes treize à table. Serais-je de trop ? Au menu : jambon *prosciutto*, lotte accompagnée de riz moulé dans un moule à baba, fruits rouges à la crème, et...

– … et une surprise pour monsieur Sadler ! dit la maîtresse de maison.

Roland Delluc, l'œil malicieux, nous sert du vin en carafe. Il ne nous dit pas ce que c'est. Il faut deviner. C'est un petit jeu qu'il adore. Les invités sont mystifiés, bluffés. Bordeaux ? Bourgogne ? Côtes-du-Rhône ? Personne ne trouve. Le maître de maison glousse de plaisir. Il ne devrait pas. Son vin a un goût de vieux tapis et de chocolat.

Une pensée me frappe. Lorsqu'on est jeune, on boit des vins jeunes : c'est la période des gamays. Lorsqu'on atteint l'âge mûr, on boit des vins mûrs, ambrés et boisés comme les sentiments sages qu'on sert en guise de conversation de table : c'est l'époque des cabernets francs et des pinots noirs. C'est en vieillissant que le ver se met dans le fruit ; comme on boit moins, il faut finir les vins qu'on avait stockés lorsqu'on avait oublié qu'on vieillirait. Résultat : on ne boit pas des vins vieux, on boit des vins foutus. L'homme se madérise avec son pinard. Content de moi, je cuve ma phrase.

Après le fromage, Édith se lève de table, se dirige vers la cuisine et s'arrête à la porte.

– Michael, vous voulez m'aider ? La surprise vous attend !

Quelques kilomètres de couloir nous mènent jusqu'au fin fond de l'appartement. Curieusement, en s'éloignant du salon, on remonte le temps. Les murs n'ont pas été repeints et la cuisine sort d'un magazine des années 50. Édith Delluc, dans son fourreau noir satiné, se baisse et ouvre la porte du four :

– Regardez ! Un crumble ! Pour vous !

Ma grand-mère Maud me gavait de crumbles quand j'étais petit. J'aurais préféré une tarte, ou un soufflé, ou un baba au rhum. Mais passons. Madame Delluc retire le dessert du four et le dépose sur une assiette de porcelaine.

– Vous voulez bien, Michael ?

Elle me passe l'assiette. Nos doigts se rencontrent sous le plat. Elle pourrait les retirer. Moi aussi. Pourtant, nous n'en faisons rien ni l'un ni l'autre. Mon imagination déborde-t-elle ? Madame Delluc est-elle en train de me draguer ? Ce moment fugace serait-il érotique ? Je suis troublé.

– Attention ! C'est chaud.

Madame Delluc me sourit. Je lui souris à mon tour. Les pas de madame de Souza résonnent dans le couloir. Je reprends mes sens et le crumble puis, recomposé, calme, je passe des coulisses à la scène. Je suis un roué, le Valmont de la rue Gounod.

C'est alors que la soirée, par tradition ou par l'effet du vin, se transforme. Voilà que, dans ce cadre raffiné, parmi ces invités triés sur le volet, on parle « cul ». Ou, plus exactement, d'une possible amitié entre les sexes.

– L'amitié entre un homme et une femme est strictement impossible, dit Élie-Charles, posant son *putter* sur son assiette.

– Pour une fois, je suis d'accord avec toi, dit le mari désabusé de la découvreuse de boulangeries, lui-même fabricant de gâteaux bretons pur beurre.

Édith feint de ne rien comprendre.

– Messieurs, vous racontez des balivernes !

Je note : « balivernes ».

Élie-Charles lève un doigt.

– Attention ! Attention ! L'amitié est possible – mais seulement après pénétration...

Le gâteau breton surenchérit :

– Après l'orgasme, distinguo. Une fois qu'on a connu l'orgasme...

On me passe le plat.

– Encore quelques fruits rouges ?

– Avec joie...

Je découvre, dans ce salon huppé, qu'en France on parle, tout habillé et sans complexes, de ses activités dénudées et clandestines. C'est tout à fait nouveau pour moi. Pas question de « pénétration » ni « d'orgasme » à Abesbury. Monsieur Delluc, grand seigneur, en tire une conclusion :

– C'est donc après l'orage que survient une période de calme ?

Le golfeur fait un trou en un.

– L'amitié entre un homme et une femme n'est possible que pendant les sept minutes qui suivent l'éjaculation !

Les femmes, ravies, gloussent. Mais Édith est très sérieuse. Elle n'est pas du tout d'accord.

– Vous êtes tous horriblement phallocrates !

– Mais non, mais non... Édith... calme-toi... Tu sais très bien...

– Je ne suis pas du tout d'accord ! L'amitié entre un homme et une femme est tout à fait possible. Qu'en pensez-vous, Michael ?

J'étais occupé à extraire discrètement un noyau de cerise de ma bouche. La question tombe mal. Heureusement, le gâteau breton vient à mon secours et en rajoute une couche :

– Mais l'amitié « avant » est toujours une amitié ambiguë, une amitié d'anticipation, une amitié surchargée de sensualité virtuelle !

– Mais non !

– Mais si !

Édith se dresse. Elle est petite, mais vraiment très belle. Elle me désigne du doigt.

– Michael a besoin d'un guide dans sa découverte de la France.

– Ah oui ? réplique le quatre-quarts, goguenard.

– Parfaitement. Et je puis vous dire que je saurais être l'amie de M. Sadler sans rien partager avec lui qui s'apparente à l'orgasme.

– Chiche ! dit son mari.

Le reste de la soirée s'achève dans un tourbillon de fines grivoiseries. Enfin, nous nous retrouvons sur le trottoir pour l'échange rituel de cartes de visite.

En rentrant, je me précipite sur le Petit Robert : « Chiche ! *interj. fam.* (1866) : Exclamation de défi : je vous prends au mot. Tu n'oserais jamais. – Chiche ! »

Défi ? Quel défi ?

9

Mes amis chic et choc me l'ont répété inlassablement : le VIe arrondissement est un village. Ils ne pensaient pas si bien dire.

Jeudi matin, direction cuisine récemment retapissée en jaune bouton d'or suite au dégât des eaux causé par monsieur Bandol, le retraité SNCF mélomane de l'étage au-dessus. Monsieur Bandol est petit, rond, costaud. Collier de barbe et pipe, il adore la « culture ». Il voit absolument tout à la Comédie-Française, est abonné à *Connaissance des arts* (la revue tombe mensuellement par terre quand j'ouvre la boîte réservée aux plis volumineux) et jouit d'une mémoire extraordinaire. Il a appris des « kilos de vers » par cœur et, malheureusement, il n'a rien oublié. Quand je descends le matin chercher mon courrier, il guette l'occasion de se délester de quelques alexandrins. La semaine dernière, gros orage et coupure de courant pendant qu'il fouillait dans sa boîte aux lettres et que j'essayais de déchiffrer ma facture EDF. On est plongé dans le noir. Le hall d'entrée n'est éclairé que par la lueur intermittente des éclairs. Bandol, brochure publicitaire Inno à la main vantant le jambon Paul Prédault, prend aussitôt la pose d'un héros de drame romantique et déclame :

« Je suis une force qui va !
Agent aveugle et sourd de mystères funèbres !
Une âme de malheur faite avec des ténèbres !
Où vais-je ? Je ne sais. Mais je me sens poussé
D'un souffle impétueux, d'un destin insensé.
Je descends, je descends, et jamais ne m'arrête. »

Il est bien possible qu'il ne se serait jamais arrêté si, à ce moment précis, le courant n'avait été rétabli. Bandol, jamais pris au dépourvu, change son texte d'épaule :

« Et Dieu dit : que la lumière soit. Et la lumière fut ! »

La Bible est moins prolixe que Victor Hugo. Bandol termine son récital et je peux poursuivre le décryptage de mes kilowatts.

Juste avant mon installation, il était parti écouter *Nabucco* de Verdi sans fermer le robinet de l'évier et l'inondation s'est produite pendant le chœur des esclaves. Le peintre s'est trompé et a posé le papier peint à l'envers, mais il n'en demeure pas moins que le motif des potiches reste très subtil. Ma cuisine est donc jaune, ce qui nécessite, par beau temps, le port de lunettes de soleil dès les premières heures.

Ray-Ban sur le nez, peignoir bleu éponge sur les épaules, j'ouvre le frigo : il reste un fond de café Lavazza Mattino. Pas de pain, pas de lait. Sur le frigo, un Post-it d'avant-hier : acheter timbres.

Rien à faire : je dois descendre faire des courses.

9 h 15, rue du Cherche-Midi. J'essaie de passer incognito devant le Balto, mais Dédé l'Asperge, verre et torchon à la main derrière le zinc, me happe sur mon passage :

– Salut, monsieur Mike !

Son amitié m'est très précieuse. Difficile de refuser un petit café au comptoir, le temps de discuter des Japonais qui, paraît-il, d'après *Le Figaro*, ont réussi à prendre en photo le monstre du Loch Ness – que les Écossais appellent familièrement « Nessie ». L'asperge reste de glace. Pour lui, les Nippons sont bien capables de prendre des *nessies* pour des lanternes.

Je quitte le Balto, ragaillardi par mon café, et je traverse. Au bar-tabac des Sports, sur une ardoise inchangée depuis des siècles, le même énigmatique plat du jour : « Steck ». Sans doute une viande rouge très dure utilisée pour la construction des ponts de bateaux. Le Post-it collé sur la doublure de ma poche me rappelle à l'ordre. Puisque je passe devant, autant en profiter pour acheter des timbres.

Robert, le patron du bar des Sports, est une conserve. Dès 9 h 30 le matin, il est confit dans l'alcool. Mais, tel un gueux du Moyen Age dans un cachot trop exigu, Robert ne peut pas tomber car il est – paradoxalement – maintenu en position verticale par le zinc et le présentoir à bouteilles.

– Un carnet de timbres, s'il vous plaît.

Robert me sert un express. Ça aussi, j'avais oublié. Robert, dont les neurones ont été court-circuités par le pinard, souffre d'une drôle de dyslexie. Vous lui commandez un pastis, il vous sert un kir. La prochaine fois que je veux des timbres, je lui demanderai un café.

Je pose la monnaie sur le comptoir – mais aussitôt, Robert, en arbitre hilare, agite son index comme un essuie-glace.

– Non !

Quelle erreur ai-je bien pu commettre ? Sur le visage de Robert, il y a plus de boutons que sur le tableau de bord du Concorde : l'un rougit lorsqu'il pense, un autre s'allume pour annoncer une bonne blague, et deux clignotent pour tourner à gauche et à droite. Présentement, c'est l'alerte rouge.

– Vous n'avez plus de timbres ?

– Si ! Mais... c'est pas assez !

Robert est le Nostradamus de l'augmentation. Il adore annoncer à ses clients que les prix vont flamber : 10 francs sur la vignette automobile, 5 francs sur les Marlboro, 20 centimes sur l'essence, voilà ce qui fait son bonheur.

Survolté par mes deux cafés, j'entre enfin au Panier fleuri pour acheter mon Candia frais pasteurisé demi-écrémé. Plus simple à dire qu'à faire. Madame Martine adore la conversation. Devant moi, dans la queue, attendent un kilo de pommes et des Francfort, un paquet de café et des madeleines, une salade en sachet et deux bouteilles de Vieux-Papes. Quatre clients, mais pour Martine, c'est déjà un salon. Elle est la Madame Récamier de la caisse enregistreuse. Je subis un col de fémur, deux plantages au bac et un divorce. Le lait commence à tourner lorsque j'arrive à m'extraire du magasin. Plus question de traîner.

En traversant, j'aperçois au loin le tablier blanc de Lucien Goujon sur le pas de sa porte. Je décide de me cacher et je me retrouve chez le tripier, avec qui j'entretiens des rapports tendus. Pour excuser la nation anglaise, depuis le scandale bovin qui a fait chuter son chiffre d'affaires, je me sens obligé d'acheter une mamelle par-ci, un museau par-là. Je n'ai pas encore pris mon petit déjeuner et l'étalage d'organes patibulaires me fait pâlir. J'achète un rognon de courtoisie et m'esquive. Un peu plus loin, le vendeur SFR. Il va encore me parler du correspondant anglais que je n'ai toujours pas trouvé pour son fils Benoît, quatorze ans. Mieux vaut l'éviter.

Je file à la Maison de la Presse prendre *Libération.* Aucun risque d'être intercepté rue Saint-Placide – j'ai plus de relations dans la tripe que dans la fripe. A droite, rue de Vaugirard, s'étend un *no man's land* extraordinaire : vingt mètres sans un café, sans une boutique, la voie rapide du chaland pressé.

Horreur. D'un pas allègre, monsieur Bandol avance vers moi, pipe en bouche. Je n'ignore pas qu'il vient de revoir (il a déjà tout vu cinq fois) *Cyrano de Bergerac.* Je m'attends au traquenard. Il va me gratifier de la tirade du nez au coin de la rue de l'Abbé-Grégoire. Je me réfugie dans l'entrée du lycée technique où je contemple avec un vif intérêt le palmarès du concours de tourneur-fraiseur en attendant le passage du cheminot retraité.

A 11 h 10, me voilà de retour chez moi avec timbres, bouteille de lait, café, *Libé,* rognon. Mission accomplie.

11 h 10 ?

Trop tard pour le *breakfast.*

Je vais devoir redescendre acheter le déjeuner.

10

J'ouvre mon journal. Langue difficile que la langue française.

D'après mes lectures, l'orthographe, au XVIe siècle, c'était chacun pour soi. On était baroque, donc on se foutait des règles. Mais au XVIIe, le « linguistiquement correct » entre en scène. Dans les salons, dans les ruelles, au petit lever, le quidam vit entouré d'interdits. On ne dit plus : « Merde, j'ai paumé mes brodequins », on dit plutôt : « Quel esprit malin a fait disparaître mes enveloppes pédestres ? » Un pauvre cousin de province qui ne manie pas l'imparfait du subjonctif ? Quelle patate ! On se fend les hauts-de-chausses, on s'éclate le pourpoint. Certes, de grosses poches de résistance perdurent jusqu'à l'arrivée de Ferry, le père Jules, qui décide de larguer dans la campagne les instituteurs avec distribution gratuite des règles de grammaire à l'école républicaine.

A croire que les Français inventent des difficultés pour rester hermétiques aux regards extérieurs. Prenez l'exemple de Grevisse, qui nous décrit fort bien les traquenards que les académiciens ont mijotés pour enquiquiner les pauvres étrangers.

Ouvrons *Le Bon Usage* au hasard.

Page 234, article 291 : pluriel des noms composés. « Les noms composés qui s'écrivent comme des noms simples forment leur pluriel suivant les règles communes. Ex. : des passeports. » Enfantin. Je comprends. C'est trop simple. Il doit y avoir un hic. Je continue.

Page 293 : « Dans les noms composés formés de deux noms coordonnés, les deux éléments prennent la marque du pluriel, ex. : des chefs-lieux, des sabres-baïonnettes. » *J'ai paumé maints sabres-baïonnettes dans des chefs-lieux malfamés.* Très intéressant et très pratique. L'Académie écrit (c'est marqué) : « des porcs-épics ». Mais tout académiciens qu'ils sont, ils n'ont pas l'air si sûrs que ça. La preuve ? Personne n'est capable de me dire quel est le pluriel de « pince-monseigneur ». J'imagine le désarroi du gentleman-cambrioleur. Au fait, c'est quoi, le pluriel de « gentleman-cambrioleur » ?

Et ainsi de suite pendant douze pages.

Ce qui nous amène à *Libération*, que je cherche éperdument à comprendre depuis une semaine.

Journal ouvert sur le plancher, Robert & Collins à portée de la main, verre de blanc et olives préparés sur un plateau, je me mets au travail à l'ombre de ma plante verte. Tâche : décryptage d'une page de politique intérieure. Le texte se lit ainsi :

« Issu du sérail, Maurice Gaudron, qui a toujours fait partie du peloton de tête, a, à son corps défendant, mis le feu aux poudres en découvrant le pot aux roses. »

Très bien. Trente mots. Pas la mer à boire. Je les relis plusieurs fois, ces trente mots. Qu'est-ce qu'il a fait, le Maurice Gaudron en question ? Avec l'aide du dictionnaire, j'arrive à traduire le passage en bon français :

« Né dans un harem, Maurice Gaudron, qui a toujours été un très bon cycliste, est devenu pyromane malgré lui en tombant sur la jardinière. »

Libé, ça coûte 7 francs. C'est cher pour du charabia.

D'après mes calculs, si tout va bien, je maîtriserai la langue française en l'an 2084.

11

A Abesbury, on est plutôt du genre mou. Mou à table, mou au boulot, mou au lit. On dit mollement bonjour, on dit qu'il fait mollement beau et on admire mollement le bébé de la voisine. Personne ne râle, ne se plaint, ne réagit. La tempête passe, ne laissant qu'une ride infime sur l'épaisse couche de guimauve qui nous protège. On ne meurt pas à Abesbury. On se fait doucement enrouler dans la mollesse éternelle.

Le Parisien, lui, est toujours vif. Il vous serre vigoureusement la main, vous pince l'épaule, vous propose au moins quinze rendez-vous fictifs pour les semaines à venir. Un taxi qui décharge trop lentement ? Il sort de sa voiture, la main droite sur le klaxon, avec des gestes et des cris qui conviennent mieux au troisième acte de *La Traviata* qu'à la rue du Four. C'est un peuple à haute tension.

Édith Delluc, déterminée à relever le défi de son mari, m'a téléphoné quelques jours après notre dîner. Elle a décidé de prendre mon éducation en main et de me présenter les hauts lieux de la culture française. Rendez-vous est pris mardi après-midi dans une brasserie sur le boulevard Saint-Germain, Lipp. Je présume que nous irons ensuite visiter le Panthéon, la Conciergerie ou le Louvre.

Arrivé à l'heure, je pousse la belle porte à tambour et me retrouve dans une grande salle décorée d'immenses miroirs. Édith Delluc n'est pas encore là. Où l'attendre ? Par bonheur, un garçon élégant en tablier blanc et gilet noir, très pro, s'approche de moi. Ses yeux me disent :

« Vous attendez quelqu'un ? Si vous voulez bien me suivre... »

D'un regard, il m'indique le premier étage et m'accompagne au pied de l'escalier. La salle du haut est très calme et offre une jolie vue sur le boulevard Saint-Germain. Personne. Pas mécontent de moi et plutôt décontracté, j'attends.

Dix-huit minutes plus tard, le garçon qui m'avait si gracieusement orienté remonte tout seul, la queue, comme on dit, entre les jambes. Il est penaud, déconcerté, désemparé, démonté, confondu, consterné, décontenancé, déconfit, interdit, pantois, désarçonné, camus (*Dictionnaire des synonymes*, Larousse, page 181). Il bredouille :

– Madame Delluc est arrivée. Elle vous prie de bien vouloir descendre.

Étonné, j'obéis sans poser de questions.

Édith Delluc m'attend, l'air fort mécontent :

– Qu'est-ce que vous fichiez là-haut, Michael ?

Avec conviction, je lui expose les avantages du premier étage. Édith me réplique sèchement :

– Vous auriez pu m'attendre longtemps !... Jamais, jamais de la vie je n'y mettrai les pieds !

Puis elle donne un ordre impérieux à notre garçon :

– Georges...

Celui-ci s'éclipse et réapparaît avec deux coupes de champagne, en guise d'excuse, comme me l'explique

Édith. Mais quelle erreur impardonnable a-t-il commise ? Mon experte m'administre une leçon de conduite parisienne. Le haut lieu de la culture française qu'elle désirait me présenter n'était pas le Louvre, mais bel et bien Lipp ! Lipp, c'est la cour des Médicis, le rendez-vous des politiques, des lettrés, des hommes et des femmes de pouvoir, l'endroit quasi officiel des coups montés et des coups bas. Et moi qui ai pris Lipp pour une simple brasserie, alors que c'est un véritable champ de mines ! La plus haute vigilance est requise. Vous êtes mal placé ? Vous sautez. C'est simple et c'est cruel. La salle du fond, on l'appelle le purgatoire. Et personne, mais personne, ne met jamais un pied au premier étage. C'est le désert des Tartares. On l'appelle l'Enfer.

Si j'ai bien compris, madame Delluc est fâchée avec moi. Quel naïf je fais.

Pas facile de devenir parisien.

12

Le grand jour est fixé au lundi 27 novembre. Le Club des cinq m'a donné rendez-vous au quartier général, chez Dédé l'Asperge. L'ambiance est solennelle. J'ai bien fait de mettre une cravate. Dédé nous sert du « messieurs » :

– Un alexandra, messieurs ?

Il me livrera la recette plus tard, écrite de sa main sur son bloc-notes quadrillé, après avoir pris soin de chausser ses demi-lunes cerclées d'or. Je la ferai encadrer : *« Mettre dans le shaker quelques glaçons, 6 cuillerées à soupe de cognac, même dose de crème de cacao et autant de crème fraîche. Frapper très rapidement afin que le cocktail ne soit pas noyé par trop d'eau. Passer dans un verre à cocktail. Ajouter la crème fouettée sur le dessus. »*

Après deux alexandras – « Messieurs, un peu de retenue ! », nous sermonne Dédé alors qu'on est partants pour un troisième –, le club négocie la rue du Cherche-Midi, subitement plus sinueuse, pour se rendre à la boutique Nicolas, en face de la poissonnerie de Didier. Le magasin, avec ses bouteilles muettes au garde-à-vous, sent le bois et la vinasse.

Une table couverte d'une nappe blanche a été dressée dans l'arrière-boutique. Dans un coin, une cuisinière à gaz, achetée en solde 850 francs (modèle d'exposition) chez Darty, garantie deux ans. Francis nous sert un arbois un peu trop frappé, mais en tenant le verre dans le creux de la main on doit pouvoir, selon lui, identifier des arômes d'arum et de lys. Après deux alexandras, il peut bien me dire que son vin blanc a un goût de lapin aux pruneaux, je n'y verrai aucune objection. Lucien Goujon se frotte les mains :

– Messieurs, passons maintenant aux choses sérieuses...

Pour titiller l'appétit, qui monte, selon Didier, comme un brochet vers l'appât, des rillettes sont servies sur d'épaisses tranches de pain Poilâne légèrement grillées et frottées à l'ail. Une troisième bouteille d'arbois est entamée pour bien « éclaircir le palais ». Les joues rosissent.

Puis, dans une atmosphère pleine d'odeurs exquises, Lucien Goujon nous présente un vaste plat qui sort de dessous le gril. Enivré par le fumet de mon quatrième verre d'arum et de lys, je n'identifie pas immédiatement ce qui apparaît devant moi. Jean-Claude, me défiant du regard, annonce :

– Ce sont des oreilles de cochons !

Des oreilles ? Tous les yeux se tournent vers moi.

J'hésite. Une oreille ? Quelle horreur... Si ma mère me voyait... Je porte à ma bouche une tranche de matière croustillante et gélatineuse, mes dents s'enfoncent dans le lobe... Le Club est aux aguets.

L'Anglais se rosbifferait-il ?

Mais c'est le paradis ! La quintessence du cochon ! Le nirvana du porc !

Mes amis ronronnent – à part Jean-Claude, jaloux de mon succès ? Et puisque j'ai été courageux, je gagne ma deuxième oreille.

La cochonnaille n'est qu'une mise en bouche, bien sûr. Le plat de résistance doit nécessairement relever de la cuisine « interdite ». Jamais le menu n'est ébruité, par crainte de fuites. Voici que Dédé l'Asperge se lève pour dévoiler avec solennité le contenu d'un large plateau sur lequel sont disposés de gros paquets non timbrés classés « secret défense » !

– Messieurs, je vous présente les tabliers de sapeur !

Applaudissements.

Je suis de nouveau pris de court ! Après les appendices auditifs, allons-nous nous délecter d'un accoutrement de pompier ? Dans un silence d'église, le grand prêtre nous détaille la prophétie d'un délice imminent :

– Vous taillez des triangles dans la panse de bœuf et vous les faites d'abord cuire pendant deux heures dans un court-bouillon d'eau, de vin blanc, carottes, oignon, bouquet garni. Ensuite vous égouttez les morceaux et vous les panez : vous les trempez d'abord dans la farine, puis dans les œufs battus avec la moutarde, le vin blanc, le sel et le poivre et enfin dans la chapelure maison – pain de mie séché, écroûté et mixé.

Dédé se met à frire les tabliers de sapeur à la poêle, moitié huile moitié beurre, en renouvelant plusieurs fois la graisse de cuisson. Deux plaquettes de beurre y suffisent à peine. Avec nonchalance, il ouvre la porte du four.

– Et un gratin dauphinois, un !

Les acolytes sont figés dans cette anticipation gourmande. Dédé nous sert. On goûte. Et la tablée de se pâmer dans une symphonie de louanges, un contrepoint complexe de soupirs et de cris d'extase :

– Ah !... Mais !... Oh !... Trop... C'est trop...!

– C'est trois toques, l'Asperge ! Trois toques !

La suite du déjeuner défile en un éclair – re-tablier, plateau de fromages accent Auvergne, tarte Tatin aux abricots et à la noix de coco, café, marc de Bourgogne. Les sujets de discussion : foot, gonzesses – j'ai hâte d'employer ce mot nouveau : « Permettez-moi de vous présenter ma gonzesse » – et politique.

Attention, terrain miné ! Le déjeuner risque de s'enflammer. Poissonnier survolté et photocopieur rubicond sont sur le point de se lancer des vacheries. L'Asperge, sage, magistral, intervient :

– Messieurs, du calme...

Et il nous débouche son fameux remède, son calumet de la paix : un vouvray moelleux de derrière les fagots, breuvage magique, sacré, selon son expression, « vin de défâchement ».

L'effet est immédiat. Nous revoilà de nouveau réunis dans le plaisir. Avec témérité, je décide de profiter de l'accalmie pour raconter une histoire.

– Vendredi matin, sur le marché Raspail, j'ai perdu mon pantalon. Ce n'est pas que j'avais maigri ! Ma ceinture se trouvait tout simplement sur un autre pantalon, abandonné à la maison pour cause de tache rebelle au K2R. L'incessant mouvement de mes coudes pour remonter ledit pantalon a énervé monsieur Seguy, le marchand de volailles. Il m'a coupé une longueur de sa pelote, tout en m'assurant que c'était la première fois de sa vie qu'il se servait de la ficelle à poulet pour un rosbif ! Ça rigole sec.

Mais j'ai gardé le meilleur pour la fin. Pour ne pas ressembler à une volaille troussée, j'ai trouvé une solution. Je déboutonne ma veste sous laquelle je porte le cadeau de mes voisins d'Abesbury – une paire de bretelles aux couleurs de l'Union Jack. C'est le délire.

– Ah ! sacré Mike !

Et, pour la première fois, Lucien Goujon me palpe.

Nous sortons de table à 18 h 45. Chacun avait soigneusement préparé son « histoire » : Didier était à une réunion à Rungis ; Dédé l'Asperge avait tapé la belote (j'avais initialement compris « taper la belette », ce qui me semblait – après consultation du dictionnaire – une occupation à la fois cruelle et irréelle) ; Jean-Claude s'était rendu au Centre national de la photocopie. C'est Jean-Claude qui a eu le mot de la fin :

– Nous sommes les kamikazes de la bouffe.

Mais il ne semble pas m'inclure dans l'escadrille.

13

Pour mieux connaître Paris, je m'en remets au hasard. Je me laisse conduire par le métro jusqu'à une station que je ne connais pas et je me promène dans le quartier.

Cet après-midi, le petit square, non loin de la rue Rossini, baigne dans une lumière dorée. Les arbres sont auréolés de soleil, les oiseaux font du *bel canto* dans les branchages. Avec émotion, je contemple ce joli tableau parisien : la statue de DECRS (la pierre du socle est fêlée) – qui ressemble à Marguerite Duras surmontée d'une perruque mouillée –, la maisonnette du gardien du square, la poussette du ramasseur de feuilles et... la sanisette Decaux.

Ces excroissances urbaines, plutôt tirelires que toilettes, blessent mon sens de l'esthétique, mais ne laissent pas de m'intriguer. Comment s'ouvrent-elles ? A quoi ressemble la décoration intérieure ? High-tech ? Chintz et fauteuils club ? Explorateur hardi, je ne recule devant rien. A ceux d'entre vous que la modernité effraie, mon exemple insufflera un courage nouveau.

Le square est désert à cette heure de la matinée. Le moment est propice. Je glisse la monnaie dans la fente.

La machine, au lieu de recracher mon offrande, l'engloutit de sa digestion huilée, et, Sésame ouvre-toi, je pénètre dans l'antre, fier comme Artaban.

La porte, réglée par un œil magique, se referme illico derrière moi. Je me trouve dans une capsule spatiale. Afin d'immortaliser ce moment avec mon instamatic, je m'assois, pour me relever aussitôt, évitant de justesse la douche qui salue mon déplacement. Ne soyez pas dupes. Les dangers sont omniprésents.

Essentiellement mû par la curiosité, je n'ai aucun désir de prolonger ma visite et m'apprête à sortir. Problème : je ne peux pas. La porte ne s'ouvre pas. Je réagis comme tout homme sain dans ces circonstances : je panique. Mon imagination s'emballe. Tout seul, cloîtré, enfermé, enseveli dans mon cercueil sanitaire, sans portable, sans provisions de survie, je pense avec émotion aux astronautes – Shephard, Armstrong, Aldrin, Grissom. Le pauvre Virgil Grissom, brûlé vif dans sa capsule avant le décollage, pionnier de l'aventure humaine, martyr de la NASA !

Quelle destinée. Venir de si loin pour mourir asphyxié dans une tirelire. Je passe rapidement ma vie en revue, mes échecs et mes réussites. Je lègue mon foie aux Alcooliques anonymes, mon huile d'olive extra-vierge à la voisine du dessous qui m'empeste avec sa Végétaline, ma culture à monsieur Bandol et ma plante verte aux jardins de Versailles.

Avant de sombrer dans la morbidité profonde, un dernier sursaut de la raison : l'œil magique qui active la porte de l'intérieur doit être caché dans un recoin du « design » ultra-moderne. Je passe ma main devant divers objets – robinets, portemanteau, miroir – en espérant pouvoir redéclencher le système et me retrouver de nouveau baigné dans la lumière automnale du square Rossini.

Rien ne se passe. Le siège serait-il la clef de la liberté ? Je me rassois. La douche se remet en route, aspergeant mon pantalon, mais la porte reste fermée. Comme Aïda à la fin de l'opéra, me voilà emmuré vivant dans mon mausolée, à la différence qu'elle, au moins, avait de la visite. Y aura-t-il assez d'oxygène ? Les toilettes – pour éviter toute pollution – seraient-elles étanches ? Je vois d'ici les titres : « Un universitaire meurt étouffé dans un tombeau Decaux. »

Soudaine lueur d'espoir. Alors que je caresse l'idée désespérée de creuser un tunnel à mains nues, j'entends le couinement de la brouette du balayeur. Comme le mineur coincé au fond de la galerie, qui tape sur le rail du chemin de fer souterrain, je frappe sur la paroi. Le balayeur pose son engin et frappe à son tour. Je frappe deux coups. Il frappe deux coups. Puis je l'entends rire. Ce n'est pas un jeu ! Tragique méprise.

– Monsieur ! Monsieur ! Aidez-moi ! Je suis prisonnier de la sanisette !

Le balayeur daigne me répondre. Hélas ! Je ne comprends rien de ce qu'il me dit, et réciproquement. Il a l'accent africain et j'ai l'accent anglais. La communication est interrompue, mais pas sa crise de rire. Malgré tout, un mot se détache du flot : « Au revoir. » Le désespoir reprend du poil de la bête.

Et puis – ô miracle ! – j'entends des pas et une nouvelle voix.

– Vous vous grouillez, oui ou merde ?

Je reconnais le ton, militaire et acariâtre. Un ton de livarot ! M'agenouillant, telle une vierge au confessionnal, je crache le morceau.

– Je n'arrive pas à sortir !

– Vous n'avez qu'à tourner la poignée ! Quel con !

Une poignée ! Quelle idée ! Je n'y aurais jamais pensé. Dans ma station orbitale du XXIe siècle, je ne m'attendais pas à trouver un accessoire aussi archaïque !

Penaud, je bredouille un remerciement à mon sauveur, dont l'incontinence accroît la rougeur, et je m'assois, soulagé, enfin libre, sur le socle de pierre, à l'ombre de la perruque dégoulinante de Marguerite Duras, pour méditer sur l'existence. Dans le temps, aucun risque de claustrophobie : il était strictement impossible de s'enfermer dans une vespasienne.

14

En Angleterre, pays protestant, c'est à Noël qu'on enregistre le maximum de meurtres. Tout ferme pendant cinq jours et on se replie sur la famille. Résultat ? Des grands-mères pendues au gui, des petits-enfants jetés, dissimulés dans des pochettes-surprise. En France, pays catholique, rien de tout cela. Les trains roulent, les cafés débitent, le taux de violence quotidienne est tout à fait normal. A part une légère augmentation de ma consommation hebdomadaire de boudin blanc, je n'ai pas vu les fêtes passer.

– Et qu'est-ce que vous faites pour le nouvel an ? me demande Édith Delluc au téléphone. Rien ? Parfait. Elle m'invite dans la propriété de Roland Delluc en Touraine et m'annonce le programme à l'avance.

– On va bien s'amuser !

Tant mieux, je me devais de goûter à un réveillon à la française.

A la recherche d'un cadeau, je me replie sur Le Bon Marché, un grand magasin très classe à deux pas de chez moi. Au moment des fêtes, on y organise la Quinzaine du vin. Vous tendez le verre, des vignerons vous le remplissent, vous dégustez, et, une heure et demie plus tard, vous grimpez les marches de votre immeuble à quatre pattes, beurré pour la bonne cause.

C'est du moins ce que je pensais.

Disons-le d'emblée, je ne suis pas un complet néophyte. Mon palais a été affiné à la Fruit Wine Society d'Abesbury. Chaque année au mois d'octobre dans le Village Hall, une flopée d'excentriques nous faisait goûter leurs pinards à base de kiwi, de rhubarbe, d'une fermentation d'élastiques, de crottes de pigeon, et j'en passe.

La semaine au Bon Marché démarre en fanfare : ce soir, dégustation verticale d'un grand bourgogne. On va descendre, littéralement et métaphoriquement, les années : 97, 96, 95, 94, etc. A 18 h 15 tapantes, je me présente aux portes du magasin, papilles sur le qui-vive, tout excité à l'idée de m'embarquer dans une verticale qui risque de me laisser horizontal. Le rayon vins et spiritueux étant situé au fond du magasin, je suis tenté de m'approvisionner en légumes au passage, mais je préfère y renoncer car il y a danger : alerte aux vieilles dames huppées et roublardes ! Vous êtes devant la balance électronique, cherchant l'image correspondant au légume désiré. Vous hésitez. Les pictogrammes ne sont pas classés par ordre alphabétique et vous ignorez si vos haricots sont verts ou cocos. Mais les petites vieilles, elles, n'attendent personne. Elles sont pressées. Elles font semblant d'avoir trouvé la touche à votre place, tapent n'importe quoi pour vous déloger et vous envoient à la caisse avec des poireaux pesés au prix des girolles.

Du plafond pendouillent d'énormes grappes de raisin, accessoires géants d'un cauchemar bacchique. Autour de la table patiente déjà un petit groupe de dégustateurs silencieux, tels des mendiants à la porte du monastère, la tête légèrement baissée en direction de l'autel en chêne clair où trône, à côté de la bouteille et d'une vingtaine de verres alignés, l'attribut sacré qui inspire le respect le plus profond : le prix du vin. Une génuflexion dans la direction du 229,00 FF, et je prends humblement ma place parmi les officiants.

Le grand-prêtre arrive. Loin du vigneron aux joues fleuries et à la panse ronde comme une outre, celui-ci, costume cravate, ressemble plus à un banquier – normal, vu le prix de son breuvage. Avec cérémonie, il ouvre le 97 et annonce qu'il est toujours fermé. Premier paradoxe.

Les verres passent. Ils ne contiennent qu'une pissette de nectar, mais il faudra bien s'en contenter. Je m'attendais à une explosion buccale ; le vin reste neutre, acide, pauvre. Je lève la tête. Mes confrères, postillonnant dans un bol argenté, me regardent d'un drôle d'œil. Un pochetron aurait-il infiltré la confrérie ? Pour boire, il faut cracher. Deuxième paradoxe.

Pis : il faut immédiatement livrer ses impressions. Les appréciations fusent : charpenté, gras, tannique. On est en rang, je n'ose pas m'éclipser. Vient mon tour.

– Il est bon.

Bon ? Les œnologues froncent du palais. Le grand-prêtre me corrige :

– Non, monsieur, il est trop jeune. Il ne sera « bon » que dans quinze ans !

Penaud mais déterminé, je fonce à la FNAC, rue de Rennes, me plonger dans le Parker, la Bible de la bibine. Ce que je cherche, ce n'est pas la connaissance, c'est la revanche.

Parker, qui bluffe tout son monde, doit avoir un palais comme un ordinateur. Comment fait-il pour capter toutes ces sensations ? En lisant, je commence à comprendre son système...

Le lendemain au Bon Marché : dégustation de bordeaux. A 18 h 15, je pointe à l'autel. Les cracks ricanent sous cape lorsqu'ils me voient prendre ma place. Ils vont voir... On déguste, on crache, on juge. Les dégustateurs entonnent leur litanie : corps, jambes, charpente, structure, ossature. A moi de jouer. Le nez plongé dans le verre, je frime à demi-mot.

– Pas mal... Je dirais même... fessu. Carrément fessu.

Silence.

– Et puis le 95... cagneux, vous ne pensez pas ?

Re-silence, et puis une voix :

– Je vois ce que vous voulez dire.

J'ai trouvé le filon : choisir un « thème », le pousser jusqu'au bout, ne pas craindre l'exagération. Il y aura toujours quelqu'un de plus crétin pour vous croire.

Perfide Albion, le retour !

Demain, les bordeaux blancs. « Thème » : le golf.

Dubitatif :

– Toujours dans le *rough*, peut-être ?

Le surlendemain, le côte-de-Nuits. « Thème » : l'automobile. On commence à me craindre.

– Bonne suspension... mais il démarre mal.

Et ainsi de suite, pour finir en beauté avec le madiran et le sexe.

– Préliminaires prometteurs, mais... un peu exhibitionniste ? Je ne sais pas si vous avez goûté le 69... ?

A la fin de la semaine, le groupe est d'accord. La première impression a peut-être été mauvaise, mais après... chapeau ! J'ai conquis le public.

– Ah ! ces Anglais ! N'oubliez pas : Bordeaux leur appartenait !

Pour les Delluc, j'ai acheté une magnifique bouteille de condrieu, le seul, de tous les vins que j'ai goûtés, qui m'ait laissé sans paroles.

15

Le réveillon en Touraine tombant un week-end, j'ai décidé de partir en semaine, histoire de faire un petit pèlerinage.

Dans le temps, j'étais propriétaire d'une Austin Mini grise dont le joint de culasse était aussi émotif qu'un Toulousain devant un cassoulet et qui pétait aussi régulièrement. Un jour, en route pour l'Italie, après avoir fait preuve d'une retenue extraordinaire, le joint a lâché à Gacé, dans l'Orne, altitude 196 mètres, à 27 kilomètres de L'Aigle. Le garagiste était efficace, l'hôtel simple, la ville idem. C'est en me promenant après dîner que je suis tombé sur une de ces surprises que seuls les incidents techniques peuvent vous offrir. Dans une rue peu éclairée et désertique, je me suis trouvé face à une des plus belles vitrines de ma vie. Devanture en bois peinte en rouge un peu passé, plaque de marbre comme présentoir et, dessus, des pots en grès de tailles différentes remplis de tripes à la mode de Caen.

Pas de quoi couler une bielle, me direz-vous ? Si. J'étais ensorcelé par cette vision gourmande d'un paradis perdu. Gacé était mon joint préféré. A chacun sa tripe.

Gacé n'étant pas strictement sur la route Paris-Tours, j'ai dû faire un détour par Rouen et Brionne pour y retourner. Après le dîner, je suis descendu au centre-ville et, presque immédiatement, je suis tombé sur le marchand de tripes. La devanture avait changé, mais la plaque de marbre et les pots en grès étaient toujours là. Pendant qu'un solex s'éloignait sur la grand-route, je suis resté immobile sous la petite guirlande municipale de Noël, hypnotisé par cette vitrine éclairée de flashs bleuâtres par le film de TF1 que regardait une Madame Bovary de Gacé dans l'appartement du premier étage, en face. Le même homme, ou son fils, ou son successeur, avait passé toutes ces années à remplir les mêmes pots avec les mêmes tripes, dans cette même ville de province. C'était le Grand Meaulnes à la mode de Caen.

De retour à l'hôtel, avant de me coucher, cartes Michelin à la main, j'imagine un guide qui s'appellerait *La France des pannes* : un répertoire des petites villes de provinces recommandées en cas d'incidents techniques : Cucuron, Buzançais, Campestre-et-Luc, Pierrefiche, Fréjairolles, Busque, Briatexte, Esparsac, Lalanne, Saint-Créac, Caupenne, Les Dodins, Propiac, Bongheat, Avrillé-les-Ponceaux, Saint-Symphorien-de-Mahun...

Et puis je m'endors. A Gacé ? Non. Aux anges.

Le lendemain, je me lève tard, achète un grand pot de tripes-souvenir et m'offre un déjeuner prolongé. Résultat des courses, j'arrive vers 18 heures à Pont-de-Ruan, dans la vallée de l'Indre. Édith Delluc sort du moulin alors que j'essaie de cacher la Mazda rouge pompier parmi les BMW et les Mercedes noires et grises. Elle porte un pantalon de cheval très serré aux hanches, une veste courte, une chemise blanche, un foulard autour du cou.

– Michael ! Quel plaisir ! J'espère que la route n'a pas été trop dure. Bison futé (a-t-elle des amis indiens ?) parlait d'une journée rouge (une fête communiste ?). Vous êtes parti à quelle heure ?

– *Actually...* A 11 heures...

– A 11 heures !!!

– Oui, Édith... Hier...

Elle est étonnée, voire choquée :

– Mais, Michael ? Vous n'avez pas mis deux jours pour venir de Paris ? On est à 250 kilomètres !

Je comprends que j'ai commis une faute de lèse-hospitalité. Les Français se tuent par milliers sur la route, mais les statistiques pâlissent d'importance devant les impératifs de la courtoisie. Lorsqu'on est invité en week-end, il convient d'arriver en un temps record. J'aurais mieux fait de répondre :

– C'est incroyablement rapide ! Paris-Tours en 32 minutes. Extraordinaire !

Tous les pépés en casquette à pompon et 104 qui m'ont doublé à 200 à l'heure ne sont mus que par ce souci. Le propriétaire de résidence secondaire ne doit pas avoir l'impression fâcheuse que sa campagne est trop loin de Paris.

Roland Delluc, sacchariné, marque un point :

– Les Anglais, ma chérie, font tout très lentement...

Est-il content de me voir ? Ça sent le roussi. Il y a de la Jeanne d'Arc dans l'air.

En traversant le salon – un bijou sorti de *Homes and Gardens,* sentant la cire et le feu de bois –, Édith Delluc, d'un geste naturel et amical, prend son élève par la main.

– Vous ne devriez pas vous sentir dépaysé, Michael !

Effectivement, toute la maison est décorée dans ce qu'on appelle le « style anglais ». Impossible d'avancer sans buter mollement dans un pouf fleuri. Un vaste abat-jour à franges constitué d'un parchemin décoré d'un bouquet de roses amphétaminées est posé sur un gros socle en faïence à motif de pivoines. Moi qui ai fui Abesbury pour éviter ce genre de cauchemar horticole, voilà qu'il me poursuit à Pont-de-Ruan ! Édith me montre ma chambre qui donne sur le bief, pose les deux mains sur le lit et les enfonce dans le matelas.

– Est-ce trop mou ?

– C'est parfait !

– Ah ! vous, les Anglais, on ne sait jamais quand vous croire !

Le badinage d'Édith accuse-t-il une pointe de fatigue ?

Le dîner n'a rien pour me détendre. Cinq couples d'invités : une très grosse aristocrate qui s'occupe d'un élevage de lévriers, accompagnée de son mari qui travaille chez Sotheby's ; un agent immobilier affecté et myope dont le point fort est de connaître le pouvoir d'achat de tous les habitants de la vallée, marié à une journaliste de *La Nouvelle République* ; un docteur cinéphile qui connaît toutes les dates de tous les films (« avec Carette – si, si ! Julien Carette – en 47 ») et sa femme décoratrice qui parle beaucoup minimalisme ; un banquier avec sa banquière ; et un champion du monde de cerf-volant et son épouse. Douze à table. Plus moi, ça fait treize. Roland Delluc n'a rien fait pour conjurer le sort ; c'est la deuxième fois qu'il me fait le coup. Le docteur cinéphile propose d'aller acheter une poupée gonflable à Tours pour me donner compagne. On a beaucoup ri.

Difficile de retenir les prénoms des invités. Les femmes ont des sobriquets très familiers, genre Bibiche, Nanette, Loulou. Pour les hommes, c'est plus formel et compliqué – Bernard-Henri, Henri-Bernard, Paul-François, Francois-Paul, Arthur-Georges, etc. Il ne leur manque qu'un troisième prénom pour figurer dans la distribution d'une pièce de Tchékhov :

– J'ai dû laisser mes clopes dans la troïka, Henri-Paul-François !

J'arrive finalement à les distinguer les uns des autres grâce à leur eau de toilette : Y, Eau sauvage, Habit rouge, Armani... une véritable symphonie de fragrances. Plus facile de les reconnaître dans le noir qu'à leur conversation inodore.

Pendant le dîner, Roland Delluc nous exécute son « numéro Balzac ». A la Loire, Balzac préférait le cours de l'Indre de Pont-de-Ruan à Saché, et le voilà qui cite de mémoire *Le Lys dans la vallée* avec l'autorité d'un homme qui barbe ses invités depuis des lustres avec le même brio : «La magnifique coupe d'émeraude au fond de laquelle l'Indre se roule par des mouvements de serpent... ». Balzac, en fait, détestait Tours : « la ville la plus triste du monde » (les invités protestent, mais le conférencier continue), et c'est vrai que nous préférons tous, n'est-ce pas, Madame de Mortsauf à César Birotteau... Non, mes amis, une visite à Saché, un retour au bercail balzacien s'imposent – nous pourrons même visiter les lieux qui ont inspiré les habitations de Frapesle et de Clochegourde.

Ma lotte, qui a pris le riz pour oreiller, bâille dans sa sauce. Elle est en minorité. La soirée est jugée délicieuse :

– Ça promet !

– Vous allez voir demain !

Le vrai délire est programmé pour plus tard.

Fatigués de notre voyage, même s'il n'a duré que 32 minutes, et assoupis par la berceuse balzacienne, nous décidons de nous coucher de bonne heure. Roland Delluc me recommande le nouveau Sulitzer : « C'est très mauvais, mais il a un sacré culot. » Ma sortie est réussie. Sur le pas de la porte, je me retourne et je lance un populaire :

– Bonne nuit, m'sieurs dames...!

Hilarité générale.

– Il est impayable, ton Anglais, Édith. Impayable !

Tant mieux pour moi.

Au milieu de la nuit, je me réveille pour descendre dans la maison endormie cacher mon pot de tripes au fond du frigidaire américain de la cuisine. Pas question de les laisser suinter dans ma chambre comme un livarot au soleil. Je remonte et m'endors avec la ferme intention de me lever tard le lendemain matin.

Hélas ! A 6 heures tapantes, on tambourine à ma porte...

– Debout, Michael ! On y va !

Où va-t-on ? Obéissant, je m'habille et descends. Les hommes, les cheveux mouillés après la douche, sont réunis autour d'un petit déjeuner copieux : rillettes, pâtés, brioches, confitures maison. Ils portent tous des Lacoste et des docksides sans chaussettes ; leurs lunettes se balancent au bout d'une cordelette autour de leur cou. Je suis le seul à prendre du café. Tous les autres prennent du thé qu'ils appellent – pour me faire plaisir ? – du *« tea »*. « Je prendrais bien du *"tea"* s'il te plaît Hugues. » Lorsque Édith arrive en robe de chambre japonaise, ils se lèvent et lui font le baise-main.

Que faire ? 6 h 30 du matin et me voici déjà dans une situation sociale embarrassante. Je n'ai jamais fait de baisemain de ma vie. Ou plutôt si. Une fois, dans une pièce de théâtre : je jouais le consul du Lichtenstein dans une comédie du XIXe siècle. J'avais rapidement étudié la technique : la main s'avance vers vous ; vous la prenez comme une crêpe bretonne et vous lui donnez un quart de tour vers la droite ; ensuite, vous raidissez le buste comme von Stroheim dans *La Grande Illusion* et vous vous inclinez en veillant à vous arrêter à quelques millimètres de l'épiderme. Surtout pas de léchouille.

Édith s'approche de moi. Elle me tend la main... et je la serre, comme d'habitude. L'agent immobilier me jette un regard dédaigneux, mais il est tellement myope que je le surprendrai un peu plus tard dans le jardin en faisant le baisemain à un rhododendron.

Puis on me tend une parka et des bottes. Honoré, nous voilà ! Mais lorsqu'on me donne un fusil, je comprends enfin que la randonnée vers le musée Balzac n'est pas au programme. Impossible de se défiler. Armés, camouflés, nous partons pour les abords gluants de l'étang, dans la lumière verdâtre de l'aube. Sous les ordres du banquier transformé en adjudant-chef, je m'allonge dans l'herbe boueuse (à côté d'Eau sauvage, ce qui, en la circonstance, ne manque pas de saveur), un chardon entre les cuisses. La Kalachnikov m'inspire une certaine inquiétude. Espérons que les canards auront la riche idée de s'attarder ailleurs, ou de se dérouter, ou de prendre le train. J'admire la beauté du paysage en apnée et fais une prière. En vain. Comme prévu, sur le coup de 7 h 30, des nuages de canards survolent nos têtes. Pourquoi cet entêtement ? D'anciens canards n'ont-ils pas survécu pour dire aux autres : « Attention aux étangs situés près des grosses maisons bourgeoises, attention aux chiens assis, aux plates-bandes soignées » ? Le danger devrait se voir d'en haut, il me semble. Mais non.

Et boom ! Et bang ! Et tactactatctatctatctatctatc !

Il commence à pleuvoir des canards. Pour ne pas me faire remarquer je tire comme les autres, préférant viser le Paris-Madrid qui passe à 28 mètres. Vient le décompte des cadavres que des gardes-chasses jettent dans des sacs en plastique. On partagera le butin au ranch. Au moins six volatiles par personne pour le déjeuner ! Miam !

A table, la conversation tourne autour du sort des châtelains du coin. Les pauvres ! Ils ont la vie très dure. On ne les envie vraiment pas. Monsieur et madame de Champlain ont acheté un garage et soldent les pneus sur le parking du Super U. Ils y passent tous leurs week-ends. Le comte et la comtesse de Beaupré, quant à eux, ont aménagé dans leur château pas moins de dix-huit chambres d'hôte ; ça marche si bien qu'ils ont dû déménager dans l'étable et sont au bord de la dépression nerveuse. A quoi ça sert, la particule ?

Ma lustrine commence à craquer.

Sieste. Je rêve de canards qui me poursuivent dans des sacs Monoprix.

17 heures.

– *Tea,* Michael ?

Redouche.

A l'aise, Blaise ? Non, monsieur.

L'épreuve du réveillon commence à 21 heures. Roland Delluc doit sentir que je suis mal dans ma peau car il se sent de mieux en mieux dans la sienne. Les hommes sont habillés chic décontracté – le smoking en velours que leur père avait porté au Travellers, juste après la guerre. Les femmes sont très maquillées, très habillées, beaucoup plus jeunes que leurs maris et vraiment pas mal. Je regrette de ne pas porter robe longue et perles moi-même : ils m'auraient trouvé encore plus anglais.

L'obligation de réussir la fête coûte que coûte pèse sur la soirée. Tout le monde est tendu. Le dîner est bon mais décevant. Alors que nous sommes d'humeur à manger des plats exceptionnels – langues d'alouettes, ailes de paons, jambes de facteur –, nous avons droit à la trois cent vingt-troisième portion de foie gras de notre vie. Le dépit est masqué par une fricassée d'adjectifs :

– Sublime !

– Si fin !

– Cuit à la perfection !

La conversation, elle aussi, comme les canards, bat de l'aile.

Hugues tient le devant de la scène. Quelle chance de passer le réveillon avec un champion de France ! Après une courte histoire de l'évolution du cerf-volant (seize minutes), Hugues passe aux statistiques : on achète en France trois cent mille cerfs-volants par an. Il existe une fédération. Les cerfs-volants de sport (aile delta « pilotable » en toile de spi et fibre de verre ou de carbone) sont aux cerfs-volants d'hier (toile de coton et baguette de frêne) ce que le VTT est au vélo. *O really ? How interesting !* Hugues, qui a sévi au championnat du monde au Touquet en 1994, se lance dans une reconstitution de la finale. Restez décontracté. Si vous n'êtes pas en harmonie avec vous-même, votre « prolongement » ne le sera pas non plus. On écoute avec attention. On ressort les mêmes adjectifs que pour le foie gras.

– Extraordinaire !

– Magnifique !

Mais on s'emmerde en silence, et l'on sent la panique qui s'installe.

A ce moment précis, Édith se tourne vers moi :
– Michael, vous êtes très discret. Quelque chose ne va pas ?
Pris au dépourvu, je bafouille :
– Non, Édith... Je veux dire...
– Qu'est-ce qu'il y a ?
Tous les yeux se tournent vers moi. Roland Delluc joue la provocation.
– Il s'ennuie.
– C'est vrai, Michael ?
– *Actually... well... er...*
– Qu'est-ce qui vous intéresse, alors, monsieur Sadler ?
Le vin de moquette et de chocolat m'insuffle un regain de courage :
– Vous, monsieur Delluc.
– Moi ?
– Vous. Pluriel... je veux dire... *underneath it all...* Qu'est-ce qui se passe ?... en dessous ? Ça, je voudrais savoir.
– « *Hain'deurnisse* » quoi, monsieur Sadler ?
– Sous la conversation, monsieur Delluc.
– Je ne suis pas sûr de vous suivre...
– Hugues, par exemple. Il ne s'ennuie jamais, à courir après son truc en carbone ?
– Évidemment ! dit Hugues avec le début d'un sourire.
– Voilà !
Merci, Hugues. Je marque un point. Je poursuis :
– C'est ça qui m'intéresse. Lorsque Hugues s'ennuie avec son machin.
Re-silence. Il devient évident que je suis pété. Édith me regarde, les yeux brillants :
– Je vois où Michael veut en venir !
– Raconte, dit Delluc, qui a abandonné le sucre pour le vinaigre.

– Au jeu de la vérité !

C'est le déclic. Ils n'attendaient que ça !

– Quelle idée géniale ! dit la grosse comtesse. Et pour commencer, je peux vous assurer, monsieur Sadler, que les lévriers puent !

On rit. La journaliste prend le micro :

– Et que les journalistes sont des faux culs !

L'agent immobilier est hilare. C'est fantastique.

– J'ai une confession à vous faire...

Il se met à genoux comme sur un prie-dieu. On dirait qu'il ne susurre plus.

– Raconte, Georges-Henri !

– Ça fait je ne sais combien de réveillons que j'ai envie de le dire...

– Dites !

– Je déteste le foie gras !

– Non ???

– Tu aurais voulu manger quoi, alors ?

– Des frites !

– Génial !

– Qui veut des frites ?

Tous en chœur en tapant sur la table avec leurs couverts :

– Des frites ! Des frites ! Des frites !

Et nous finissons la soirée dans la cuisine à éplucher des patates. Le bar poché au fenouil, on l'a donné aux chats, le vin en carafe est remplacé par un côtes-du-Rhône en bouteille. A 23 h 30, on s'est tapé des Mont-Blanc à même la boîte. On est saouls, on est copains d'un soir. C'est grand ! Édith m'adore. Pour me remercier, elle m'embrasse. Je suis le décrispeur.

A minuit, pour le passage du cap, on se met en cercle, main dans la main, pour chanter *Ce n'est qu'un au revoir* – en anglais : « *Auld lang syne* ». J'enseigne les paroles aux dames, pendant que leur mari disparaissent dans le jardin avec leur portable pour souhaiter la bonne année à leurs ex.

Pour se dessaouler, rien de tel qu'un tour rapide des plates-bandes sans pardessus. De retour à la maison, frissonnant, les pieds mouillés, Hugues nous prépare un Viandox bien chaud (« Un Viandox ? Mais c'est proustien ! »). Quel plaisir d'imaginer tous ceux qui, en ce moment même, en Touraine, ratent leur réveillon avec du foie gras roumain, des cotillons flasques et de la fausse joie.

Des frites ! des frites !

On se bidonne.

Au milieu de la nuit, je descends sur la pointe des pieds le grand escalier en bois qui craque et ouvre lentement la porte de la cuisine qui baigne dans la clarté lunaire. Dans le bac, je trouve la bouteille de condrieu entamée. Roland a dû se payer un plaisir solitaire. Avant de remonter mes tripes de contrebande, j'en bois une gorgée. Le bonheur.

Happy New Year, Michael ! Thank you, Michael !

16

Le lendemain matin, sur le parking du moulin, échange de cartes de visite et de promesses en l'air.

– Et si on formait un club ?

– On l'appellerait le club des friteurs !

– Ouais !

Avant de partir, je lance à la cantonade :

– Pas question de rentrer à Paris sans une douzaine d'œufs frais !

Et tous d'apprécier. J'ai totalement raison. Eux, ils se moquent bien des œufs. Ils n'en mangent pas. Mais en vouloir, quelle riche idée !

Et maintenant où trouver des œufs ? Roland Delluc me conseille d'aller voir Saturnin.

En fait, je l'ai déjà repéré. Les œufs, c'est une ruse. Il habite une ferme délabrée en plein champ, à quelques centaines de mètres de la propriété Delluc. Trou dans la toiture de la grange pour faire entrer la vis à grain, pierres moisies, faîtage rafistolé. Saturnin, je l'avais aperçu dans les cultures en train de faire... je ne sais quoi. Il contemplait, il pissait... un sacré dos de paysan. Je l'ai aussi croisé à vélo, suivi de sa femme Delphine, à une dizaine de mètres derrière lui. Le poids de leurs corps menaçait de phagocyter la selle et la bicyclette tout entière. Saturnin et Delphine, j'en mettrais ma main au feu, sont de bons vivants.

A la campagne, j'étais sûr de retrouver les saveurs d'antan, les authentiques goûts d'avant les hypers, avant les congélos et les blisters, lorsque le coq n'était pas encore lyophilisé ni la blanquette gonflable. La démocratie, magnifique avancée pour les peuples, s'est révélée mortelle pour la bouffe. Prenez le cas du saumon fumé. A Auchan, une vendeuse vous le détaille au mètre, comme la toile cirée. Si vous en achetez trop, vous pourrez toujours en faire des rideaux pour la chambre de la petite.

Un paysan à la gitane maïs collée à la lèvre inférieure devait représenter le gardien du palais. Partons chercher mes œufs.

Mon arrivée dans la cour est annoncée par trois ou quatre chiens borgnes. Saturnin, roi méfiant, campe, impassible, sur le pas de sa porte. J'explique que je viens de la part des Delluc. Ce qui fait immédiatement flamber le cours des œufs. J'accompagne Saturnin dans sa quête, sur une botte de paille, dans le clapier à lapins et dans une carcasse de vieille voiture abandonnée – une Renault pondeuse ? Pour passer à la caisse, on regagne la ferme. Des chats partout, une cuisinière Brandt qui n'a jamais été lavée, des assiettes sales empilées dans un évier en pierre, partout des tons beige, brun, marron, une cheminée noire de suie. Sur la poutre maîtresse, des bois de cerf décorés d'une guirlande de Noël, et sur le mur, à droite du portrait d'une belle vache, une photo couleur encadrée de la ferme vue du ciel.

– Ça sent bon !

Pour être honnête, ça ne sent pas bon du tout, mais j'ai hâte de découvrir la table de Saturnin.

– Vous devez bien manger !

Mes intentions sont-elles trop limpides, ma curiosité trop visible ? Mais non. Saturnin, malicieux, me lance un clin d'œil.

– Pour bien manger, on mange bien, pardi ! Ils peuvent toujours la laisser tomber.

– Laisser tomber quoi ?

– La bombe atomique. On est prêts, nous autres.

Saturnin se relève sans un mot. Il me mène vers le cellier. Quels secrets vais-je découvrir ? Nous pénétrons dans l'obscurité et la fraîcheur d'une grande pièce qui sent vaguement le moisi et le fumier. Et là, tout blanc, flambant neuf, trônant au milieu d'un fatras médiéval... le congélo de Saturnin.

Il chasse un gros chat de l'énorme bahut blanc et se retourne vers moi. Je frémis. Quelle chance inouïe. J'aurais préféré voir, c'est vrai, un cellier plein de pots de conserve amoureusement étiquetés. Mais il faut vivre avec son temps. Saturnin soulève le couvercle. Comme Merlin l'Enchanteur en bleu de travail, enveloppé dans le nuage de froid que dégage le congélateur, il désigne les entrailles fumantes du bahut :

– Sûr qu'elle peut bien tomber... Ah ! ça oui !

Le cœur battant, je m'approche de son trésor et ouvre de grands yeux : des sacs de frites surgelées Potatoes de chez McCain, rustiques et moelleuses, une quantité considérable de baguettes de chez Leclerc rangées comme des munitions et d'innombrables boîtes de Princess, une crème glacée aux raisins macérés au marc de champagne moulée dans de mini-bouteilles de mousseux de chez Miko... Mieux : dans le noir, auquel je commence à m'accoutumer, je distingue des packs de lait UHT longue conservation. Ça valait le déplacement.

Saturnin est très content de lui. Ils verront bien ce qu'ils verront, tous ces gars de la ville ! La bombe atomique vient de tomber sur Pont-de-Ruan. Saturnin et Delphine, paysans prévoyants, me regardent ramper dans la cour de la ferme.

– Saturnin ! S'il vous plaît ! Une baguette ! Pour l'amour de Dieu ! Pitié ! J'ai faim !

Saturnin et Delphine ne bronchent pas. Ils lèchent leurs crèmes glacées Princess, à l'abri des radiations, derrière les fenêtres scotchées en s'amusant de mes simagrées. Plus de télé depuis l'apocalypse. Heureusement qu'il y a toujours les rats des villes !

Saturnin m'invite à prendre un verre. Delphine chasse de nouveau les chats de la table, sort trois verres à moutarde du buffet et y verse une rasade d'un liquide incolore.

– A vot' santé !

– A votre santé, monsieur Saturnin, madame Saturnin !

Et l'on trinque.

L'effet est immédiat. Je suis brûlé, mes tripes sont attaquées, mes boyaux tordus.

Saturnin est ravi. Il passe une sacrée matinée.

– Elle est bonne, la gnôle !

Aveugle, sourd, mais ébloui, je demande à Saturnin d'écrire le mot sur un morceau de papier. *Gnôle.* Quel mot magnifique ! Oublié le congélo. Le voilà, ce goût que je recherchais. Féroce, sauvage, primitif, ancestral. Roland avait dû en prendre une rasade avant Roncevaux.

– Elle est bonne !

Saturnin plonge les cinq gros doigts de sa main droite dans le verre, les ressort et allume les extrémités avec un briquet. De petites flammèches bleues jaillissent, comme si chaque phalange était une tête d'apôtre à la Pentecôte.

17

7 janvier. Le Club des cinq tire la tronche. Après les fêtes, les gastronomes ont la fourchette en berne. Jusqu'au 31 décembre la période est faste. A partir de début janvier, on entre dans les mauvais jours. « Il faut passer à la caisse », comme dit Gilberte.

Rendez-vous est donné chez l'Asperge. Avec une superbe qui masque notre appréhension, nous arborons la nouvelle cravate du Club, dessinée et confectionnée par un ami de Francis : des cocotte-minute en argent sur fond rouge boudin. Gilberte nous salue d'un prémonitoire :

– Ah ! messieurs ! C'est le jour du Jugement dernier !

Nous partons à 9 h 20 pour le rendez-vous de 9 h 30. L'union fait la force. Goujon, Jean-Claude et Francis, avec leurs sacoches accrochées au poignet, Dédé l'Asperge avec une serviette de ministre. Nous traversons le boulevard du Montparnasse, abandonnant la sécurité du VIe arrondissement. Nous poussons la porte vitrée du laboratoire Dechaume. La réceptionniste en blouse blanche nous devance :

– Bonjour, messieurs. C'est pour une prise de sang ?

Elle nous fait signe de patienter dans la salle d'attente où d'autres condamnés, ronds et graves comme nous, lisent des exemplaires écornés de *Femme actuelle* dans une atmosphère de fin de règne. Toutes les quatre minutes, une infirmière vient désigner une nouvelle victime. Vient mon tour. Petit garrot, seringue, bout de coton, sparadrap, et hop ! c'est fini. On passera prendre les résultats dès 16 heures. Sept heures de liberté avant que le couperet ne tombe.

De retour chez l'Asperge, tandis que Gilberte nous sert des grands crèmes et des croissants au beurre, Jean-Claude annonce la couleur : il va nous mitonner le seul plat hors la loi du menu français. Un arrêté officiel est même affiché sur les murs de toutes les cuisines de France et de Navarre. Il va nous cuisiner... une raie au beurre noir !

Le Club se pâme d'admiration. Je me pâme également, mais par politesse car je n'ai aucune idée de ce dont il s'agit.

Le magicien daigne dévoiler son tour. La recette commence d'une façon innocente : du poisson frais – une aile au moins par personne, en faisant attention d'éliminer la partie extérieure, très mince, qui n'est que cartilage et peau. Cuire les morceaux dans une eau frémissante pendant cinq minutes, puis les sécher sur un torchon. Retirer les deux peaux, la brune et la blanche. Un quart d'heure avant de servir, remettre les morceaux dans la sauteuse et verser dessus le court-bouillon très chaud. Après ébullition, laisser frémir une dizaine de minutes. Jusque-là, rien d'illégal.

Suit la préparation de la sauce mortelle...

Si jamais la Badoit citron accoudée au zinc est un espion du ministère de la Santé déguisé, le Club finira la journée en taule. Jean-Claude, prudent, baisse la voix :

– Vous mettez le beurre dans la poêle. Vous faites fondre doucement à feu doux et vous laissez prendre couleur. La matière grasse subit trois étapes de décomposition. La première : couleur noisette ; la deuxième : couleur acajou ; et la troisième, la phase terminale : le beurre noir. A vous de choisir, messieurs !

Unanimes, nous optons pour le noir.

La fin de la recette est majestueuse. Vous enfilez ciré, bottes et passe-montagne et vous versez le vinaigre sur les bords de la sauteuse. Les projections sont puissantes, dangereuses et incontrôlables. Ça gicle, ça crache. Verser sur la raie, servir avec du persil et mourir jeune.

Jean-Claude est né à Dieppe. Sa mère travaillait dans une quincaillerie. La raie était un luxe. Ils étaient pauvres, mais elle aimait lui faire plaisir. En rentrant, il savait tout de suite que la surprise était au menu car sa maman se changeait. Elle portait un uniforme spécial raie, mais « l'instant vinaigre » était trop fort. La maison était imprégnée de sauce. On avait beau laver les rideaux, les jours de la dentelle restaient obstrués de beurre noir. Il fallait les nettoyer trou par trou avec une aiguille à tricoter.

Cet homme aux joues coléreuses a donc un cœur. J'aurais voulu qu'il m'aime. Mais pas le temps pour les sentiments. Les dés sont jetés. Dans une heure, nos artères seront dans le même état que les rideaux de sa maman.

10 h 30. Un dernier baroud avant la sentence du sérum.

On passe chez Didier chercher les quatre kilos de poisson (on est quand même cinq) qui nous attendent, luisants, dans une caisse de polystyrène blanc. Chez Nicolas, nous tombons la veste et retroussons les manches. Nous avons l'air d'appartenir à une secte, chacun avec son petit bout de coton scotché dans le creux du bras. A un moment, le coton de Lucien tombe dans la sauce. Il veut tout recommencer, mais on l'en empêche. On est frères, que diable !

Ah ! l'instant vinaigre... Voilà que les chevaliers de la prise de sang se réunissent autour de la sauteuse. Jean-Claude chauffe le beurre noirâtre, verse le vinaigre. Nous sommes tous aspergés par des projections de graisse âcre. C'est la communion.

En silence, les condamnés se mettent à table. Le plat est trop succulent, trop rare pour être interrompu par la conversation. On en parlera plus tard à nos enfants, à nos petits-enfants. « Dis, grand-père, raconte-nous la raie au beurre noir... »

A la fin du troisième service, Jean-Claude se lève ; il est rouge comme une statue d'airain. Nous nous levons avec lui.

– Messieurs, portons un toast : à l'excès !

– A l'excès !

Nous sommes de retour au labo à 16 h 30. Repus, écarlates, sereins. A chacun sa petite enveloppe, à chacun sa feuille de Sécu. Pas question d'ouvrir tout de suite. Par habitude, on se replie chez l'Asperge, on commande cinq fines champagnes et, enfin, on décachète.

Les résultats sont extraordinaires. Jamais la France n'a connu de telles performances. Nos taux de glycémie, notre urée, nos triglycérides sont olympiques. Et celui du cholestérol dépasse de loin nos espérances ! *We are the champions !* Le copain de Dédé lui passe un coup de fil d'en face pour nous féliciter.

Dans mon for intérieur, je trouve mes résultats alarmants. Mon hypocondrie doit s'afficher sur mon visage, car les vétérans se moquent de moi. Lucien Goujon jette un coup d'œil.

– Cholestérol 2,8 ? Mais c'est rien ! Rien ! Comment voulez-vous qu'on vive, nous, les bouchers, avec des clients comme vous ? Vous ne mangez pas assez, mon vieux ! Il faut consommer !

Jean-Claude brandit fièrement sa fiche. Il me trouve minable.

– Cholestérol 4,7 ! Ça, monsieur, vous pouvez dire ce que vous voulez, mais ça, c'est du cholestérol !

On se lève, on se congratule. Chaque année, le danger augmente, chaque année, le risque est plus grand, et chaque année le plaisir n'en est que plus fort.

18

Post-it sur le frigo : sucre, huile, pâtes. Au Bon Marché, je me pointe devant la gondole sucre. Vide ! Hormis la cassonade et les bâtons de sucre de canne en provenance de Cuba à 300 francs le kilo. Ils ont dû dégondoler le sucre en poudre – histoire de me faire dévier de ma route et de passer devant des produits dont je ne veux pas pour que je claque une fortune dans des foutaises. Allons aux pâtes.

Même traquenard. Il ne reste que des pâtes aux cèpes et aux truffes, des pâtes en forme de nœud papillon, roulées à la main sur les cuisses des repentis napolitains. *Basta la pasta.* Cette fois, le dégondolage atteint des proportions insupportables.

La mort dans l'âme, je pars à la recherche de l'huile. Le rayon est désespérément vide, sauf pour l'huile d'olive extra-vierge, provenant du bosquet de Giovanni Ballo, qui surplombe les vignes de Corleone, à 120 francs la mini-fiole.

Quittant Le Bon Marché par l'entrée en guise de protestation, je me rends chez Ed, passant ainsi des fastes des Émirats arabes au Berlin d'après-guerre. Il y a – ô joie – du sucre, mais on se l'arrache comme si c'était de l'or. Une vieille dame remplit un caddie. Pourquoi acheter tant de sucre ? Elle me regarde comme si j'étais tombé de la lune.

– Et la crise, monsieur ?

Je vivais dans une tour d'ivoire. Ma lecture du journal se limitant à un décryptage lexico-grammatical, je ne saisissais pas l'entière portée des articles. Quand je lisais dans *Libération* « Tout baignait dans l'huile, mais il a dû y avoir anguille sous roche et maintenant il y a une couille dans le potage » ; et que je traduisais : « Au début, la friture était bonne, mais un leptocéphale s'est glissé dans l'aquarium et un testicule est tombé dans la soupe », il était difficile d'y détecter la moindre allusion au climat social.

Prévoyant, j'achète douze boîtes de miettes de thon ; je n'aime que le thon entier, mais à la guerre comme à la guerre.

En rentrant, j'allume la télé pour admirer le ballet des décideurs. Du beau monde en Safrane et costume sombre va et vient devant les micros, dans la lumière blafarde des projos, pour nous exposer son opinion sur les tractations, les pourparlers, les tables rondes et les nouveaux Grenelle (une bataille napoléonienne ?). Pour sortir le pays de la mouise, ils nous disent qu'il nous faut absolument réussir la quadrature du cercle à l'aube du troisième millénaire.

J'ai, cependant, d'autres préoccupations. Édith Delluc m'a invité au vernissage d'une exposition de pastels de poulets – une artiste de ses amies qui capte avec une précision diabolique, me dit-elle, l'effervescence du poulailler. Elle a une patte extraordinaire.

Roland Delluc est parti à Cuba. Édith m'a donné rendez-vous chez elle, rue Gounod. Je suis content d'être réinvité, ravi de revoir Édith dont je suis sans nouvelles depuis le réveillon. Serais-je allé trop loin avec le coup des frites ?

De nature ponctuelle – le rendez-vous est pour 16 heures – je me pointe boulevard du Montparnasse vers 15 h 15. Assis dans l'abribus du 92, je m'occupe en lisant les itinéraires des autres bus, je regarde l'affiche du film détaillant les noms des vedettes, des seconds rôles, de la maison de production, des auteurs du scénario, de l'auteur du livre original, du chef opérateur, du compositeur et des Sofica. J'ai dû rater le précédent 92 de quelques secondes. Personne pour me renseigner. Après un quart d'heure, je m'inquiète. J'aurais dû partir plus tôt. Mon excès de décontraction est puni.

Décision : direction bouche de métro, correspondance à Saint-Lazare. C'est moins agréable, mais plus intelligent que de couver un ulcère dans un abribus. Je marche jusqu'à Duroc et je descends les marches. Tiens ! les grilles sont fermées. Qu'est-ce qui se passe ? En achetant un bouquet de tulipes – un genre de liliacée bulbeuse –, je m'informe.

– C'est la grève, monsieur !

Je joue le distrait et me frappe le front de la paume droite, geste que j'ai répété plusieurs fois dans la salle de bains. Au kiosque, les grands titres du *Monde* annoncent : « Grèves dans les transports et la fonction publique. »

15 h 40. Un petit vent de panique se lève. Impossible de téléphoner à Édith Delluc pour l'alerter, car il y a une longue file d'attente devant la cabine. Je vais appeler de l'appartement. Et puis non. Si je la préviens, Édith va me demander de ne pas venir. Prenons un taxi – après tout, j'ai encore un quart d'heure devant moi.

Le boulevard des Invalides ressemble maintenant au bordel de l'Étoile étiré en longueur : une masse compacte de véhicules. En l'espace de vingt minutes, la situation a nettement empiré. Une seule solution : la marche à pied. Je consulte le plan de Paris. Ça ne me paraît pas trop loin. Je descends le boulevard du Montparnasse plus vite que les voitures. Mauvais signe. Devant le lycée Victor-Duruy, je décide de me renseigner auprès de deux jolies lycéennes, quand je trébuche sur une barrière métallique anti-émeute, tombe sur mes tulipes et salit mon pantalon. Ma détermination ne fait que s'accroître.

– Vous allez loin comme ça, monsieur ? me demande une mignonne avec un diamant dans le nez.

J'explique, en me relevant, que j'ai un rendez-vous rive droite. Elles regardent mes tulipes tordues avec compassion :

– Vous passerez pas, monsieur, vous passerez pas.

– Y a les keufs !

Les keufs, les flics, les kisdés sont de plus en plus nombreux le long du boulevard. La place des Invalides est noire de monde. Je tombe sur des grévistes autour d'un feu de bois. Chacun porte sur le front un bandeau marqué d'un mot à l'encre rouge : « NON » ; « AUX » ou « LICENCIEMENTS ». Celui qui porte « LICENCIEMENTS » est chauve et le mot fait le tour de sa tête. Le slogan est efficace lorsqu'ils sont dans le bon ordre, mais comme ils font cuire des merguez, ils ne cessent de changer de place. Au moment où j'arrive, ils se tournent vers moi, et cela donne : « AUX NON LICENCIEMENTS ». Peu importe, j'adore les merguez – ce qui leur semble être le gage de mon soutien politique. C'est moins une saucisse qu'une prise de position. Malheureusement, ce sont des merguez très juteuses ; à la première morsure, une éjaculation orange de harissa brûlant macule ma chemise. « NON » se sent très concerné. Il est vrai que j'ai manifesté une certaine sympathie pour leur mouvement, et il ne veut surtout pas s'aliéner mon renfort en m'aspergeant d'épices maghrébines. « AUX» me nettoie avec un torchon imbibé de white spirit, ce qui n'arrange pas vraiment les choses. Alors que je m'apprête à leur vanter les bienfaits du K2R, la police décide de charger.

Je n'ai jamais vécu une charge de CRS. A Abesbury, pendant une démonstration de gymkhana par la police du Bedfordshire, un cheval était monté sur mon pied gauche. C'est resté ma seule expérience de brutalité policière. Je suis donc assez étonné quand « LICENCIEMENTS » me prend sauvagement par le bras et m'oblige à courir en arrière à toute vitesse. Il me coûte d'abandonner les merguez – trois sont presque parfaites, la gicleuse n'était tout simplement pas assez cuite –, mais il n'est pas question de s'attarder pour des raisons gastronomiques.

Le gaz lacrymogène me prend à la gorge avant les yeux. Je trouve refuge sous la porte cochère d'un beau bâtiment qui se trouve être – ironie du sort – le Centre culturel britannique. Des Anglais laconiques commentent les charges et les contre-attaques.

– Ils jouent depuis quand ?

– Ça fait trois heures.

– Ils vont bientôt s'arrêter pour bouffer !

Je repars sur l'esplanade maintenant vide après le retrait des CRS. « LICENCIEMENTS » – mon sauveur – est assis par terre et se frotte le crâne. Il a dû recevoir un coup de matraque. Une tache rouge fait un pâté sur son bandeau, qui affiche « LI...CIEMENTS ». Toute l'esplanade baigne dans le sang, mais en y regardant de plus près, ce ne sont que des restes de merguez innocentes brutalement écrasées par la charge des policiers. C'est une grève dure.

Dans une camionnette RMC, une journaliste en blue-jeans moulant, ce qui doit nettement diminuer l'attention qu'on prête à ses questions, m'indique que les ponts sont bloqués par la police. Cette nouvelle me remonte un peu le moral : je n'aurai qu'à expliquer la coïncidence des grèves et de ma visite chez Édith pour qu'on me laisse passer.

Le pont Alexandre-III, un de mes préférés, avec ses lions gigantesques et dorés qui en gardent l'entrée, est curieusement calme. A part moi et une centaine de CRS, personne. Quelle allure je dois avoir avec mon pantalon déchiré, mes tulipes tordues et ma chemise couverte de harissa ! Tant pis. Il est 16 h 40, Édith Delluc doit s'inquiéter et le vernissage refroidir.

Un cordon de CRS armés, casqués, bardés de boucliers transparents, barre le milieu du pont. L'accueil est glacial. Je tente d'expliquer mon problème, ne parvenant qu'à l'aggraver :

– Je suis très en retard. C'est pour une exposition de poulets.

– Une exposition de quoi ?

Un CRS, encore plus armoire que les autres, me prend par la veste avec une conception toute sienne de l'aménité, me fait traverser le cordon et me présente à son supérieur :

– Qu'est-ce qu'il veut, ce con ?

Je comprends leur consternation, mais je suis déterminé. C'est mon côté bouledogue qui remonte à la surface. Je m'explique : l'absence de bus, le français alambiqué de *Libération* qui m'empêche de suivre les derniers développements de l'actualité, l'angoisse de madame Delluc. Là, je leur montre mes fleurs, espérant qu'ils ne vont pas me prendre pour un cambrioleur profitant d'une surcharge de travail des forces de l'ordre pour faire des casses rive droite.

Le supérieur sourit. « Un rendez-vous galant ? » Je rougis. Il est ravi. « Passez, monsieur. Passez. » Il ordonne à ses hommes de s'écarter.

– Et bon après-midi ! Si vous revenez par ici, racontez-nous...

Et toute la compagnie de CRS de me faire des clins d'œil de derrière leurs boucliers transparents. Puisque le chef trouve ça hilarant, je ris de conserve – je n'ai aucune envie de froisser une forêt d'armoires – et je passe.

Sur les Champs-Élysées, des grappes de secrétaires font du stop. Avenue Franklin-Roosevelt, les antiquaires de luxe, les bijoutiers, les galeries d'art descendent leur lourd store métallique. Il règne une atmosphère prérévolutionnaire. Le ciel est gris, bas et lourd, la lumière glauque et les trottoirs de plus en plus désertés. De temps en temps, de l'autre côté du fleuve, on entend la détonation des bombes lacrymogènes et l'explosion de cocktails Molotov. Je passe devant l'annexe de la préfecture de police. Le va-et-vient incessant de véhicules, les sirènes hurlantes et les gyrophares flamboyants ajoutent à cette atmosphère de fin du monde.

Place du Pérou : nouveau problème. Avant mon départ pour la France, j'avais acheté une paire de Doc Martens assez sobres – noires et sans la couture jaune qui me donnait un look de loubard. C'est en arrivant à Paris que je me suis rendu compte que j'avais acheté du 45 alors que je chausse du 44. J'avais prévu de les changer, mais, dans l'empressement du départ, j'ai oublié. Et voilà que, place du Pérou, ce souvenir redevient cuisant.

C'est donc pieds nus que j'arrive rue Gounod à 18 heures passées, semblable à un amoureux de Peynet passé dans une moissonneuse-batteuse. Je monte l'escalier quatre à quatre – l'ascenseur est-il lui aussi en grève ? – et parviens – enfin ! – au quatrième. Le palier est clair, cossu, superbe. Je sonne. Il est 18 h 05. J'ai deux heures et cinq minutes de retard.

Personne.

Je resonne. Silence. Toujours personne. C'est extraordinaire ! Je suis très déçu et limite fâché. Édith Delluc aurait pu se douter de quelque chose, non ? Elle aurait pu écouter les actualités, entendre parler d'un massacre de merguez sur l'esplanade des Invalides et en tirer les conclusions. Mais non. Elle n'est pas là. Madame s'est rendue à son vernissage de poulets toute seule.

Je suis tenté de balancer un coup de pied dans la porte. Elle n'a même pas laissé un petit mot scotché sous la sonnette, une petite feuille arrachée de Post-it pour s'excuser : « Michael ! Si jamais vous arrivez jusqu'ici, ce qui serait un miracle, je suis partie – à regret. A bientôt, Édith. PS : Voici l'adresse. » Ça m'aurait mis du baume au cœur. Mais non, aucune trace écrite – ni dans la plante verte, ni sur le rebord de la fenêtre. Je suis sur le point de partir lorsque me vient une idée. Revenant sur mes pas, je soulève le paillasson avec une assurance vengeresse. Édith y a certainement caché un message.

Soulever le paillasson d'un appartement rue Gounod n'est pas une mince affaire. Un tapis de cette envergure sociale pèse dans les douze ou quinze kilos et mesure deux mètres de longueur. On croirait un match de catch entre un rosbif et un hérisson géant. A ce moment précis, la concierge, madame de Souza, descend l'escalier, aperçoit un cambrioleur couvert de harissa qui cherche à se cacher sous le paillasson et prend la fuite.

Toujours aucun message... Que faire ?

Camper sur le palier ? Dormir avec mes tulipes en attendant le retour d'Édith ? Ou partir, blessé, en lui laissant les fleurs devant la porte ? Non. De toute façon, elles sentent le méchoui.

Assis sur un banc en face de l'immeuble, je boude. J'aurais bien aimé voir Édith. Les rideaux de l'appartement restent obstinément fermés. Je suis frustré, fâché contre la grève. Il fait nuit, je suis loin de chez moi, fatigué ; mon froc est déchiré, mes fleurs fanées, mes pieds échauffés, ma chemise orangée – je suis à la fois harassé et harissé. Je me prépare à reprendre mes cliques et ma cloque pour la longue marche de retour. Et voilà qu'un homme – la trentaine sympathique, veste en flanelle – s'approche de moi. Il cherche dans sa poche. Il va me donner une pièce ? Puis il se ravise et traverse la rue.

Il a raison. Se faire poser un lapin pour des poulets, il n'y a pas de quoi s'apitoyer.

19

Seizième jour de grève. La tension est vive. Hier, place de la République, la fin de la manifestation des cheminots a dégénéré : douze blessés de chaque côté.

La lutte des classes se déclare dans l'immeuble.

Je reviens, très chargé, du boulevard Raspail : du poisson dans le sac isotherme, du museau dans une barquette, un poulet dans un filet et trois kilos de pommes bio, vers du terroir garantis, dans un cabas. Il fait extrêmement moite dans le hall. Si j'attends encore une heure ou deux, les vers dans les pommes vont tout monter à ma place.

Bzzzzclicktac.

La porte s'ouvre. Monsieur Bandol entre en scène avec son caddie. Il lève le bras droit comme pour dire : « Ave Caesar », met un pied sur la roue de son caddie – il a remplacé les roulettes d'origine par celles d'un motoculteur – et déclame :

« Le choc avait été très rude. Les tribuns
Et les centurions, ralliant les cohortes,
Humaient encore, dans l'air où vibraient leurs voix fortes,
La chaleur du carnage et ses âcres parfums. »

Il n'a pas le temps de poursuivre sa harangue : le caddie, mû par l'impulsion poétique, se dérobe sous monsieur Bandol, qui tombe littéralement dans les pommes.

– Désolé...

Deux gros vers descendent d'une pomme pour l'aider à se relever. Bandol continue comme si de rien n'était. Sortant sa bouffarde de sa poche revolver, il me lance un clin d'œil complice et poursuit dans un autre registre :

– Alors les grèves ? Hein ? Les grèves ?

– La gare Montparnasse vide de trains, c'était très impressionnant.

– Vous connaissez la solution, Sadler ? Le super à vingt-cinq balles. Le super à vingt-cinq balles, je vous dis ! Il faut les grands moyens ! Les grands moyens !

Et il aborde illico la politique internationale :

– Et le Toniblère ? Il ferait quoi, le Toniblère ? Rien du tout ! Pas plus que la Tatchère ! Tous pareils ! La troisième voie ? Foutaises, monsieur. Chez nous, c'est déjà la quatrième !

Et il entonne :

– Ah ! ça ira, ça ira, ça ira...

Bzzzzzzclicktac.

Madame Jouvet, quatrième gauche, chignon blond et carré Hermès, entre dans le hall.

– Bonjour, monsieur Sadler.

– Bonjour, madame Jouvet.

– Bonjour, monsieur.

– Bonjour, madame.

Le mari de madame Jouvet travaille dans un ministère. Il est énarque. Initialement, je pensais qu'on parlait de sa naissance : « Il est né narque. » Ce qui provoquait en moi la réponse : « Le pauvre... Narque, si jeune. » Depuis, j'ai compris. Bandol tourne les talons en disant :

– Je vous aide.

– Non, monsieur Bandol. Vraiment...

Égalitaire jusqu'au bout de sa pipe, il ne veut rien entendre.

– L'homme, monsieur, est là pour aider son prochain.

Dans un coin, au pied de l'escalier, madame Vargas, la femme de ménage, a laissé ses instruments de travail. Monsieur Bandol prend le seau, le lave-pont et gravit l'escalier. Tout pèse très lourd, Bandol a mal au dos. Il peine, le seau déborde. Pour masquer l'effort et garder sa superbe, Bandol prend son inspiration. On pressent qu'il va le dire, on prie Dieu pour qu'il ne le dise pas, et inévitablement, inexorablement, il le dit :

– Ô rage, ô désespoir, ô vieillesse ennemie...

Madame Jouvet ne se sent aucunement concernée par la performance de monsieur Bandol.

– C'est terrible, monsieur Sadler.

Très pâle, les mains crispées, elle ajoute :

– On vit un cauchemar ! Qu'est-ce que vous devez penser de nous ? Vous qui êtes tellement civilisés, tellement respectueux... Il n'y a plus de respect dans ce pays, monsieur Sadler. Et la reine ?

– La reine ?

– Qu'en penserait votre pauvre reine ?

Que le système ferroviaire français soit gravement perturbé, que la SNCF ait le couteau sous la gorge, la reine, sa mère, son chapelier et les laquais du palais de Buckingham doivent s'en battre copieusement les flancs. Mais madame Jouvet, elle, reste inconsolable.

– Quelle image, je vous jure, quelle image ils doivent avoir de nous !

Un ver qui devait s'ennuyer dans sa pomme fait subitement une virée suicidaire sur la mosaïque de l'entrée. Madame Jouvet le dévisage et, horrifiée, paraphrase Shakespeare :

– Il y a quelque chose de pourri dans le royaume de France !

Puis, elle monte l'escalier, suivant la voie tracée par les débordements de Bandol. Si tout l'immeuble se met à me réciter les grands textes, je ne suis pas sorti de l'auberge.

Les vers, debout sur leurs pommes, le poing fermé, entonnent *L'Internationale.* C'est le délire.

20

Aussi vite qu'elle est apparue, la grève s'est arrêtée. Le réalisme prend le pas sur la fermeté. On range le brasero et la merguez révolutionnaire et on passe à autre chose.

Édith Delluc a un goût pour l'abscons. A Pont-de-Ruan, elle m'a prêté un livre « pa-ssion-nant » : *L'Illusion de la fin ou la Grève des événements*, par Jean Baudrillard, aux éditions Galilée. Page 159, je suis tombé sur cette phrase :

> « *Nos systèmes complexes, métastatiques, virals* [sic], *voués à la seule dimension exponentielle (que ce soit celle de l'instabilité ou de la stabilité exponentielle), à l'excentricité et à la scissiparité fractale indéfinie ne peuvent plus prendre fin.* »

Bon. *Libé*, c'était déjà elliptique. Mais là... Pour comprendre, j'ai essayé toutes les recettes de mon éducation oxfordienne : je l'ai lu à l'envers, je l'ai relu après deux cognacs, je l'ai démonté avec un tournevis, je l'ai fait tremper dans une marinade toute une nuit. Rien à faire.

J'imagine notre conversation :

– Bonjour, Édith, vous avez l'air troublé...

– C'est une question de scissiparité, mon chou...

– Ça doit être fractal, Édith...

– Comme vous me comprenez bien, Michael...

– Exponentiel, mon cher Watson !

Aussi son coup de fil, un soir au Balto, alors que je prends l'apéro avec mes amis, m'étonne sans me surprendre.

René répond :

– Absolument, madame. Je vous le passe. C'est pour vous, monsieur Mike.

Silence dans le café. Le Club des cinq est fasciné.

– Michael ! C'est Édith !

La voix d'Édith, que je n'ai pas entendue depuis le vernissage raté, envahit le café. Hors de question de la réprimander, ni, devant le Club des cinq, goguenard, de lui parler du paillasson et de ma déception. Elle le fait exprès ou quoi ? Je rougis. Le Club se resserre instinctivement autour de moi. Comment Édith sait-elle que je suis au Balto ?

– Mais, Michael, vous m'avez parlé tant de fois de votre cantine.

Elle est sincèrement désolée que j'aie raté les poulets. Pour se faire pardonner, elle me propose une autre expérience esthétique. Cécile, une amie d'enfance, actrice de son métier, répète une pièce de Marguerite Duras à Bobigny. Le théâtre d'avant-garde m'intéresse-t-il ? Absolument ! Marguerite Duras, dont je connais mieux la statue que l'œuvre, m'intrigue. Édith est enthousiaste :

– Personnellement, j'adore Duras. Tellement sensuelle...

« Sensuelle. » Même assourdi par mon oreille, que j'essaie de garder collée comme un bouchon au récepteur, le mot fait sensation. Le Club des cinq se regarde. Sacré rosbif !

En essayant d'éloigner l'appareil des oreilles curieuses, je le fais tomber. La voix d'Édith est là, gisant par terre dans le café.

– Michael ! Michael !

Monsieur Goujon ramasse le combiné avec la rapidité et la délicatesse d'un boucher qui repêche un rognon glissant. Elle est toujours en ligne.

– A demain, alors !

– A demain.

Le Club, transformé en jury, me toise. Alors, qu'est-ce qui se passe ? Je mène une double vie ?

– C'était un ami.

– Qui s'appelle Édith ?

– Eddie. Il s'appelle Eddie.

Le jury n'est pas convaincu.

– Eddie, c'est un prénom français ?

– Ben oui : Eddie Constantine, Eddy Mitchell...

Jean-Claude regarde les autres, égrillard, puis me sourit.

– C'est un travelo, c'est ça ?

On rit. Jean-Claude me fait un clin d'œil. Curieusement, maintenant que je suis plus conforme à son idée de l'Anglais moyen – euro ou pas euro, Europe ou pas Europe, mec ou pas mec –, il me trouve plus drôle.

Le lendemain, arrivé avec trente-cinq minutes d'avance à Bobigny, je fais le poireau devant la salle de répétition. Des jeunes attendent le tramway en écoutant du rap à la radio. Serais-je en présence de ce que *Libé* appelle la *caillera* ? Ho ! mon frère, c'est qui le *keum* à la *dio-ra* ?

Les acteurs, l'air hébété, font leur entrée. Cécile, grande, mince, le nez chaussé d'énormes lunettes de soleil, n'est pas de bonne humeur. Se prépare-t-elle à jouer une scène difficile ? Pour la détendre, tout le monde est aux petits soins avec son yorkshire, un mégot poilu qui la suit partout. Il emmagasine les caresses et rapporte tout ce pollen d'admiration à sa maîtresse névrosée, comme un bourdon canin à la reine des abeilles. Toujours pas d'Édith. A 14 h 29, on me fait signe d'entrer. Résigné, moyennement enthousiaste, je me dirige vers le hangar-salle de répétition.

Thierry, le metteur en scène tendance Vitez, parle très, très doucement. Il nous explique que la répétition durera cinq heures et que personne n'aura le droit ni d'entrer, ni de sortir.

Bang ! La porte métallique se ferme derrière moi. Je suis incarcéré avec Marguerite !

La pièce s'appelle *Agathe.* J'ai acheté le texte à la FNAC. J'ai tout lu en 36 minutes. C'est la première fois que je lis un livre français aussi vite. Je l'ai relu aussitôt en 22 minutes. Avec de l'entraînement, je crois pouvoir descendre sous la barre des 15 minutes.

Thierry réclame le silence.

Ils reprennent une partie du texte qu'ils avaient laissée en plan.

> ELLE : *Je l'aime.*
> *Silence. Lui se tient les yeux fermés. Elle, détournée de lui.*
> LUI : *Je vais crier. Je crie.*
> ELLE : *Criez.*
> *Tous les paliers du désir sont là, parlés, dans une douceur égale.*
> LUI : *Je vais mourir.*
> ELLE : *Mourez.*
> LUI : *Oui.*

Entre Édith.

Elle s'est trompée de porte et arrive derrière les acteurs, sur scène. Je m'attends à un esclandre. Rien du tout. Les acteurs restent très courtois, Thierry se montre charmant. Roland Delluc serait-il leur mécène ? Édith se place à côté de moi, fronçant les sourcils, la bouche dessinant une moue qui veut dire : « Excusez-moi. »

Thierry reprend. Les vraies difficultés du texte sont entre les répliques, nous explique-t-il. Et nous partons à la découverte des silences – que j'avais sautés en lisant. J'aurais préféré, pour ma part, un travail sur les paliers du désir, mais on ne peut pas tout avoir.

Le silence durassien commence à nous envahir. Et subitement, venue de très loin, je sens poindre une menace imminente.

Des mois de consommation de petits vins canailles ont favorisé le développement d'un microclimat explosif dans mes boyaux. Or, au théâtre, il existe une fâcheuse coïncidence entre les silences et les essais nucléaires gastriques. Vous êtes là, cloué à votre siège en velours rouge, l'actrice est aux abois, dévastée, elle rampe par terre, le silence s'installe, et c'est alors qu'annoncée par un bruit de sirène, la déflagration se prépare. Que faire ? Mururoa. Cacher la puissance du tir aux yeux du monde. Enfouir l'explosion. Vous prenez votre imperméable et vous le tenez contre vous. Vous roulez le pull-over pour faire double épaisseur et vous tortillez du fessier pour retarder la mise à feu. Si vous connaissez le texte, si vous avez bien étudié les didascalies à l'avance, il est possible de prévenir les silences. Mais *Agathe*, je l'ai lu en une demi-heure. Très difficile, dans ces circonstances, de faire coïncider combustion et cri. De toute façon, chez Duras, lorsque le personnage dit : « je crie », il le dit, mais il ne le fait pas. Trompeur pour les sphincters, peu au fait de la distanciation dans le théâtre contemporain.

Cette gestion du silo nucléaire intérieur, essentielle dans toute entreprise de séduction, diminue quelque peu ma concentration. Je suis sur le point de perdre le contrôle à un moment très dramatique – Cécile s'accroche au mur et s'avance comme si elle était au bord d'un précipice – quand je sens une langue de chauve-souris qui me lèche les chevilles. Je regarde furtivement sous mon siège. C'est le mégot qui vient me dire bonjour !

Ça me donne une idée de génie.

Je harponne le clebs et le pose contre mon ventre pour former un filtre laineux. Les mugissements intérieurs sont ainsi assourdis par le corps chétif du mégot.

Mais le yorkshire, qui ne semble pas trop mordu de Duras, manifeste quelque impatience. J'essaie bien de le retenir par la truffe, mais il se met à me mordiller et à griffer mon jean. Ce qui donne à la mise en scène une tendance plutôt chenil :

> LUI : *Je vais crier. Je crie.*
> LE MÉGOT : *Gggrrrr.*
> ELLE : *Criez.*
> LE MÉGOT : *Schorrkkkk.*

Thierry n'apprécie pas. Il se tourne vers nous et aboie :

– Vous ne pouvez pas faire taire ce clébard de merde ?

Sur ce, Cécile lui fait une scène qui dure peut-être une heure et demie et qui fournit le principal intérêt dramatique de l'après-midi. Elle peste contre Thierry et refuse de continuer à travailler.

Édith saisit l'occasion pour s'éclipser, en m'enjoignant de rester :

– Profitez, Michael ! Profitez !

J'en ai profité. J'ai quitté Bobigny à 22 heures, en possession d'une arme secrète. Si jamais, en rentrant chez moi vers minuit, on me cherche noise, j'assommerai mon agresseur en déclamant haut et fort, et dans son intégralité, la pièce de Marguerite Duras que j'ai eu dix fois le temps d'apprendre par cœur à Bobigny.

Et vlan !

21

Loin, bien loin au-delà des toits et des flèches, comme la lueur d'un chaudron maléfique mitonné par des êtres d'un autre âge, le soleil commence sa tâche, chauffant, colorant, rosissant le gris crépusculaire de l'aube. Bientôt, dans une fanfare retentissante d'oranges, le disque céleste va entamer la ligne si nette de la démarcation entre le rêve et l'éveil. Déjà la ville, dans un demi-sommeil, commence à bouger, froissant ses draps, renversant un bidon de lait, toussant, s'étirant, se saluant. Et celui qui, ivre des affres de la création, sent vaciller son regard et peser ses paupières, l'artiste enfin, se prépare à la nuit du jour, après avoir vidé le jour nocturne de la création...

Je suis très fier de ce texte, dont la composition ne m'a pris que trois semaines. J'en ai imprimé plusieurs exemplaires et j'en ai collé un dans la salle de bains. Je le récite en me rasant. Malheureusement, la forme m'a tellement préoccupé que le fond est bidon. Il faut marier les deux.

A ma table de travail, ce matin, dictionnaire, grammaire et sauvignon ouverts, une drôle de sensation m'envahit. Pendant la nuit, l'équipe de Décorama a dû me poser du bout de la langue jusqu'aux amygdales une moquette épaisse et de mauvaise qualité. Un travail de pro. Chaque fois que je déglutis, j'ai un goût de laine dans la bouche, comme si j'avais avalé un troupeau de moutons.

La cathédrale digestive a également subi les outrages des décorateurs. Le traitement des parois de l'estomac au Xylophène devait être en cours quand les ouvriers ont décidé d'abandonner sur place leurs outils, brosses, pinceaux, escabeau, ponçeuses, clés de 12. Cette sensation a un nom : elle s'appelle crise de foie.

Imaginez l'effet d'un bombardement français incessant sur le paysage intérieur britannique. Subitement tombent du ciel des frappes chirurgicales inconnues : une huître – l'arrivée du premier poisson provoque un psychodrame digestif –, le coup de blanc à 11 heures du matin, les moules, l'andouillette. Les enzymes paniquent et perdent la tête. Quoi faire ? A Abesbury, on suce un bonbon à la menthe. En France, la panoplie de remèdes est vaste.

Comment choisir ?

Seule solution : la méthode Bon Marché.

La dégustation, prévue mercredi matin, étant une science exacte, il faut de la disponibilité d'esprit, de la finesse, de l'œil. Pour une science, c'est tout un art. Dès mardi soir, je commence la mise en condition. Je consomme du foie gras bulgare de chez Ed avec un sauternes à 36 francs, suivi de saucisses de morteau sous blister bien grasses et suppurantes accompagnées d'un gratin dauphinois à la crème arrosé d'une bouteille de rouge, camembert au lait cru, tarte Tatin à la noix de coco, café, armagnac. Je me couche tard, je dors la bouche ouverte, je ronfle et je me réveille en sursaut avec des sueurs froides, en pleine forme pour la dégustation.

Verres propres alignés sur une nappe blanche, je délaie et touille mes mixtures avant de cacher les emballages : une dégustation à l'aveugle s'impose. D'abord, je note la robe et la texture – qui va du blanc blouse d'infirmière au transparent, genre acide chlorhydrique, en passant par le vert mal de mer et le gris vomissure. Ensuite, je passe à la dégustation buccale.

Résumé de ma séance de dégustation. Gaviscon : goût de menthe poivrée avec quelques notes de bicarbonate, assez long en bouche, parfait en accompagnement de plats à la crème. Hépatoum : menthe poivrée encore plus prononcée, rond, le 99 très agréable. Solution Stago : un étonnant bouquet de banane qui rappelle les beaujolais, bon à boire en primeur. Hépax, avec ses relents d'artichaut, et Oxyboldine, très anisée, conviendraient mieux à l'apéritif. D'autres mixtures sont plutôt à classer dans les digestifs : Phosphalugel (orange Séville) et Gelox (mirabelle). Un faible pour le Schoum, drapé d'or pâle, excellent après deux douzaines d'escargots farcis au beurre ; boire frais, un délice.

Et voilà de quoi se constituer une bonne petite cave. Seul problème : j'ai un peu trop forcé sur les mélanges, j'ai oublié de cracher et je me retrouve avec la gueule de bois.

Je vais prendre un Alka Seltzer.

Le mois prochain : dégustation des cent trois traitements contre la constipation.

– Un petit goût de bouchon, non ?

22

Les bourgeons gonflent. Sur la Seine, les arbres du Vert-Galant se couvrent d'un vert pastel. Les premières robes légères flottent dans la brise. Un papillon essoufflé s'assoit sur la pile de livres d'un bouquiniste. Les terrasses se remplissent, le vin est de nouveau frais. On ouvre une vitre dans le bus. On s'allonge sur les berges. Le printemps arrive. Et c'est le Tournoi des Cinq nations.

Jean-Damien Prince, l'éditeur qui accompagnait Édith Delluc lors du dîner à la Bastille, m'invite à regarder le derby France-Angleterre chez des amis anglais, les Belling, qui possèdent une résidence secondaire en Normandie.

La mèche rebelle, le pantalon en velours côtelé, la veste en tweed et une pochette fleurie, Jean-Damien est anglophile. Il finit ses phrases par « izeuntitte », mais le restant de son anglais est incompréhensible. Ses confitures viennent de chez Fortnum & Masons, il adore la marmelade d'orange, raffole de *crumpets*, de *steak and kidney pudding*. Tartiné de Crabtree and Evelyn, il se roule dans le pot-pourri de chez Laura Ashley et ne jure que par le *Times*, qu'il ne lit jamais. L'Eurostar a changé sa vie. Londres, il adore. Il se régale de vache folle chez Simpson et a une capacité extraordinaire à ignorer la pauvreté, la misère et la frime d'une capitale en surchauffe. La *rain* le ravit, lui qui déteste la pluie. Il trouve très amusant de se lever à 3 heures du matin pour ajouter 50 pence dans le chauffage de la chambre de son *bed and breakfast* miteux à 950 francs la nuit.

Les Belling, Charles and Hilary, sont des enseignants à la retraite. Lorsque nous arrivons, Charles est en train de biner ses poireaux. Il porte un béret, un bleu de travail et est chaussé de galoches.

Les amis sont enchantés de se retrouver.

– *'Ow are you izeuntitte, Chaaarles ?*

– Ça boome, Jean-Damien ! Ça boome !

On me présente. Un Anglais qui rencontre un autre Anglais à l'étranger respecte les coutumes du pays. Je lui tends donc la main, mais le professeur Belling n'en veut pas. Il me prend par les épaules et, lui qui n'a pas dû toucher qui que ce soit pendant les cinquante premières années de sa vie, m'embrasse quatre fois sur les deux joues.

Madame Belling revient du marché dans sa 2CV. Le voyage a assoiffé Jean-Damien.

– *A naillsse cupofti, izeuntitte ?*

Pas question. Les Belling, guère portés sur le thé, nous ouvrent trois bouteilles de blanc. Il n'y a pas d'heure pour une dégustation. Charles est fier de sa cave :

– Tu ne connais pas *cette petite* quincy ? Mon Dieu ! Il est *absolutely fabulous* !

Et il entreprend de nous déboucher toute une série de bouteilles, aussi acides et décapantes les unes que les autres.

– Goûte *la* chardonnay. *Elle* est plein de charme !

Les Belling passent le printemps et l'été en France. Ils s'amusent comme des fous. Ils vont de village en village pour assister à toutes les fêtes, photos souvenirs à l'appui : fête du canard, fête du rillon, fête du boudin, fête du lard... ils sont toujours là, fidèles au poste, les joues rosies par le rouge ou rougies par le rosé, les doigts plongés dans le gras, hilares. La photo préférée de madame Belling est celle de son mari en babygros, un bavoir autour du cou, assis sur les genoux de la femme du maire, tétant un biberon de côtes-du-Rhône à la fête du pruneau.

Nous nous installons dans le salon. Les choses sérieuses commencent. Charles Belling allume la télévision. Le stade est en ébullition. Les Anglais chantent le *God Save the Queen*. Les Français entonnent la *Marseillaise*. On libère un coq sur le terrain. On agite des drapeaux. L'intox est à son comble. Enfin, le match commence.

Je suis immédiatement médusé par les réactions de notre auditoire. Jean-Damien, ne trouvant que des mots cruels pour la fragilité du jeu français, admire la détermination churchillienne du pack anglais – six brutes épaisses, nez épaté et oreilles en chou-fleur, tandis que les Belling, illuminés par la piquette, vilipendent leur propre équipe, composée, selon eux, de hooligans et de camés, et se pâment d'admiration devant l'intelligence des avants français. Madame Belling enlève ses chaussures et, debout sur le canapé, levant les bras en l'air, scande, se croyant sur un terrain de foot :

– Allez les Bleus ! Allez les Bleus !

On croit loucher.

C'est l'Histoire cul par-dessus tête.

23

L'amour est une question de passion et de technique, mais également de culture. Avec une Lapone, des préliminaires lapons s'imposent ; on enduit son corps de gel de phoque. Avec une Bolivienne, il faut s'accoutumer au port du chapeau melon et bien penser à déposer la flûte de Pan sur la table de chevet.

Mon amitié avec Édith Delluc, fruit du défi de son mari, s'est teintée, au cours des mois, de libertinage. D'abord nos doigts se sont rencontrés sous le crumble. Pur accident culinaire ? J'en doute, car cette intimité, par phalanges interposées, a été suivie de petites révélations intimes. Chez Lipp, lors de sa première fâcherie, elle m'a parlé de son mariage. Son premier mari était dentiste, elle, orthophoniste. C'était, de toute évidence, un rapport trop étroitement buccal. Il buvait et vit aujourd'hui à Saint-Barth (une clinique ?), ce qui ne saurait mieux convenir : au moins, il ne se blesse pas lorsqu'il s'effondre sur le sable, le pauvre chou. Roland Delluc, lui, a fait fortune dans le sucre et a vécu dix ans à Cuba, et il adore son Édith. Ils font l'admiration de tous leurs amis et chambre à part.

Ces confidences ont été corroborées par des regards, des pressions de doigts, le baiser du nouvel an et, couronnement de ce doux itinéraire, une invitation à une représentation de *La Seconde Surprise de l'amour* à la Comédie-Française. C'est l'occasion rêvée d'élargir mes connaissances. Jusqu'alors, les classiques français étaient, pour moi, *terra incognita*. En classe, nous avions lu *Le Cid*. J'avais même publié dans le magazine de l'école un dessin humoristique – le père de Chimène entre dans une triperie, où son futur gendre travaille, et lui demande : « Rodrigue, as-tu du cœur ? »

Le théâtre est très beau : le tapis royal, les bustes en marbre, les ouvreurs en smoking. Édith arrive au dernier moment. Elle glisse son bras sous le mien pour monter le grand escalier. La salle, tout en ors et velours rouge, respire la grande tradition théâtrale. Mais la pièce de Marivaux se révèle plus diabolique que classique.

Le Chevalier et la Marquise, tous les deux encore chauds de leurs anciennes amours, sont attirés l'un vers l'autre dès leur première entrevue : elle lui effleure la main, il lui tape dans l'œil. Attirance qu'ils ne veulent surtout pas s'avouer. Son mari est mort, sa maîtresse est au couvent, ils ont tiré un trait sur la passion : on n'aime qu'une seule fois. Ils échangent donc des livres, font des promenades, prennent le thé ensemble. Ils sont bons copains, ils n'arrêtent pas de se le dire. Pourtant, à la fin de la pièce, acte III, scène 16, quand le chevalier avoue enfin son amour, la marquise lui rétorque :

« Je ne croyais pas l'amitié si dangereuse. »

Édith Delluc cherche-t-elle à m'adresser un signe par Marivaux interposé ?

Je décide de prendre le taureau par les cornes. L'éducation l'exige ; je m'y résigne. Après l'Étoile, après Lipp, après les oreilles de porcs grillées, vient inévitablement le sexe. Adolescent, à Brighton, je souffrais le martyre, quand l'été les jeunes envahisseurs français, ces Attila de la braguette, bronzés, musclés, sans boutons ni complexes, débarquaient pour rafler mon harem. Le moment de la revanche a sonné.

– Je vous téléphone, Édith, pour vous inviter à dîner.

– A dîner, Michael ? Vous êtes sûr que ce n'est pas plutôt à déjeuner ?

– A dîner, Édith. Je suis très pris pendant la journée.

Crâneur.

– Mais quel plaisir ! Et quelle bonne idée ! Malheureusement, je dois refuser. Moi aussi je suis très prise pendant les deux prochaines semaines ; je suis navrée.

Crâneuse.

Je suis sans doute allé trop loin, trop vite. Édith s'est rangée du côté de madame de Souza : je suis un Anglais qui se conduit avec les femmes comme avec les paillassons. Elle préfère ma maladresse à ma détermination.

Le lendemain. Dddrringgg.

– Michael. J'ai un créneau. Mais pour déjeuner. Pourriez-vous vous libérer le mercredi 14 ?

Une petite manipulation d'un Filofax imaginaire et j'arrive à me libérer.

La préparation à l'épreuve ne va pas sans angoisse. Je n'ai jamais fait l'amour avec une Française. Est-ce plus compliqué ? Quelle est la durée moyenne des ébats ? Avec ou sans lumière ? Est-ce que je maîtrise un lexique adéquat ? Au cas où, je commence par consulter la planche anatomique de mon Petit Larousse.

J'ai sélectionné quatre planches : squelette, muscles, système vasculaire et système nerveux. Mon attention se porte principalement sur la région sud-ouest. Leçon de vocabulaire : sacrum, tête et col du fémur, coccyx, épine sciatique, tubérosité ischiatique, éminence thénar et éminence hypothénar, grand fessier, artère hypogastrique (qui joue certainement un rôle important dans les essais de Mururoa), artère iliaque, veine fémorale, nerf fémoro-cutané et nerf crural. Certains organes manquent certainement à l'appel, mais, à toutes fins utiles, je recopie la liste sur un morceau de papier que je cache sous l'oreiller :

– Excusez-moi, ma chérie, mais j'ai des fourmis dans le crural.

– N'appuyez pas trop fort sur mon hypothénar, s'il vous plaît, mon chou.

Rendez-vous au Balzar, rue des Écoles.

Le matin, je mets de l'ordre dans mes papiers et j'époussette les abat-jour, que je parfume avec un atomiseur d'intérieur Nuits de Séville : atmosphère mi-maison close, mi-usine de confiture d'orange. J'achète une cassette de chansons sud-américaines : une musique lisse, genre je te chuchote à l'oreille des cochonneries en portugais. En proie à une certaine fébrilité, je prends trois douches de suite. Le bac déborde, le plancher est mouillé. En cherchant un mouchoir, je trifouille sous l'oreiller et me mouche dans ma liste. Je me trompe de flacon et me donne un coup de Nuits de Séville derrière les oreilles. Merde, ça brûle ! Du calme, du calme. J'arrive au Balzar à 12 h 45 avec un quart d'heure d'avance.

14 h 00. Édith n'est toujours pas là. Elle ne viendra pas. Inconsolable, dépité, dans un état second, je

mange un pied de porc. Tout ça pour rien ? Tout ce travail de préparation pour des clopinettes ? Il y a un film de Robert Bresson au Champollion, à côté : l'histoire froide et tragique d'un âne. Je compatis. Suis-je lavé du désir ?

24

Buuzzzclicclac.

En rentrant, je croise monsieur Jouvet, l'énarque. Costume gris, cheveux courts, chemise rayée, chaussures noires. Les épithètes sont interchangeables.

Au lieu de sa serviette habituelle, monsieur Jouvet porte un fait-tout et des paquets de saucisses de Francfort.

– Bonsoir, monsieur Sadler

– Bonsoir, monsieur Jouvet.

Le grand serviteur de l'État se sent dans l'obligation de m'expliquer le pourquoi du comment de ces accessoires inattendus, ce qu'il fait *ex tempore*, sans notes, sur un ton professoral. Ses enfants sont momentanément dans le public, à l'école élémentaire Littré. Pour apporter une aide logistique à madame Jouvet en vue de la fête de l'école, il a accepté de se charger du stand des hot-dogs. Hélas ! toutes les écoles primaires de la région parisienne organisent leur fête le même jour, aucune machine à hot-dogs n'est disponible sur la place de Paris. Donc : crise.

J'invite monsieur Jouvet à poser ses saucisses, mais il est lancé dans son raisonnement. Trois problèmes à résoudre :

Primo : le récipient.

Sans machine à hot-dog, comment les faire cuire ? Réponse : dans un fait-tout. Mais faire cuire une francfort dans un fait-tout est une opération risquée car le frémissement de l'eau, essentiel pour le réchauffement harmonieux de la saucisse, est difficile à maintenir. Je m'explique, monsieur Sadler : un fait-tout est opaque, alors qu'une machine à hot-dog est en partie constituée d'un réservoir en verre transparent. C'est un élément non négligeable. L'invisibilité de la cuisson risque de porter préjudice au résultat souhaité.

Deuxio : la saucisse.

Une francfort de qualité, vous me suivez, monsieur Sadler, de qualité, dont le boyau est plus pâle, moins orange, garde sa forme pendant la cuisson ; elle a, pour ainsi dire, de la retenue. On peut la laisser mijoter en apnée pendant une demi-heure, elle sortira du bouillon aussi francfort qu'à ses débuts. Mais les francforts de deuxième catégorie, achetées d'habitude, pour de simples raisons de rentabilité, chez un grossiste de la saucisse, des francforts plus clinquantes, d'une couleur très vive, n'ont pas autant de savoir-vivre – ou de savoir-frémir, pourrait-on dire en l'occurrence. Elles s'éclatent comme des folles dans le fait-tout, et quand vous les sortez de l'eau, on dirait des capotes fluos (cette dernière phrase légèrement modifiée dans ma transcription).

Enfin, rassemblant les pièces du fait-tout :

Tertio : la pique.

La vraie machine à hot-dog est constituée d'un bac circulaire en verre (voir ci-dessus) à droite et de piques en métal à gauche. La baguette de pain, une fois coupée, est empalée sur la pique et chauffe en même temps que la francfort. Mais nous ? Nous n'avons pas de pique chauffante. Avec une cuillère de bois, on peut faire un trou dans la baguette, mais il ne sera ni chaud ni régulier. Essayez donc d'enfoncer une francfort éclatée dans un trou tordu : impossible ! Que faire ? Achcter des francforts hors de prix et vendre à perte ? Même en optant pour la francfort chic, quel sera le sort d'une francfort droite dans un trou qui ne l'est pas ?

C'est pire qu'à Bruxelles !

Buuzzzclicclac.

Monsieur Bandol rentre de la chorale des cheminots. La présence de monsieur Jouvet lui coupe momentanément le sifflet. Dans l'espoir d'étouffer dans l'œuf toute velléité de tirade, j'interviens.

– Nous parlions des francforts, monsieur Bandol.

Monsieur Bandol n'écoute-t-il qu'à moitié ? Mon accent l'a-t-il trompé ?

– Le franc fort ? Le franc fort ? C'était une politique exécrable ! Mais exécrable !

Je me retourne.

Monsieur Jouvet, ses saucisses et son fait-tout sont déjà dans l'escalier.

Bandol vocifère, s'adressant à une foule invisible. Et je reste, contre mon gré, pour la conférence. Bandol est très gentil, mais il m'emmerde. Je suis décidément trop anglais. A la place de l'intelligence, j'ai de l'éducation.

25

J'ai longtemps hésité.

Une scène d'amour n'a pas sa place dans un documentaire. Le genre ne le permet pas. L'intimité est réservée au journal intime, à la confession, la poésie ou la fiction. Mais mon souci de tout dire m'oblige à transgresser les codes de bonne conduite, à transcender les genres littéraires.

Deux jours après la Berezina du Balzar, le téléphone sonne à 1 heure du matin. Profondément endormi, je me jette dessus comme un naufragé sur une bouée.

– Allô ?

Une voix chuchote à l'autre bout :

– Michael ? Je suis désolée pour mardi...

– C'était mercredi.

– Vous étiez fâché ?

– Déçu.

– Roland a eu une crise.

C'est quoi, une crise ? Au fond, je m'en fous.

– S'il vous plaît, Michael. Ne m'en voulez pas. Venez chez moi demain matin. *Please.*

Please ?

Je suis un clignotant. On m'allume, on m'éteint, on m'allume.

Je dors très mal, la main sous l'oreiller, crispée sur la liste.

Buuuzzzzzzz.

Un aspirateur s'éteint. Madame de Souza, vêtue de noir et d'un tablier blanc, m'ouvre la porte. Sans mon paillasson et ma chemise orange, elle me reconnaît à peine.

– Madame est dans sa chambre. Je vous annonce.

Oui, annoncez-moi, hirondelle ibérique !

– Suivez-moi, je vous prie.

En traversant l'appartement silencieux, dont le luxe vespéral s'est adouci dans la lumière calme du matin, monsieur Rossi et les deux mafiosi en slip me font un clin d'œil.

– *Michael ? Come in !*

Édith est au lit, un plateau de petit déjeuner par terre, *Le Figaro* abandonné à côté d'elle.

– Ce que vous êtes preste !

Je me suis, c'est vrai, pas mal presté. La scène est presque trop parfaite. Est-ce un piège ? Roland serait-il caché dans l'armoire avec son instamatic ? Valmont jouerait-il dans une pièce de Feydeau ?

– Venez vous asseoir. Non. Plus près. Pas trop. Vous m'écrasez. Voilà. Parfait. Ne bougez pas.

Elle tourne son corps d'un sensuel quart de tour à gauche, étend un bras fin et délicatement musclé par des années de tennis de luxe, et happe le téléphone :

– Madame de Souza... Si vous voulez bien maintenant faire la cuisine...

Au loin, l'aspirateur s'éteint de nouveau avec un soupir d'asthmatique agacé, et des pas s'éloignent.

– Alors, Michael. Racontez.

Raconter quoi ? Mes douches ?

– J'étais très blessé que vous ne soyez pas venue au Balzar.

Au fond, c'était la seule chose que j'avais envie de raconter.

– Mais Michael ! Vous ne me croyez pas ? Venez donc avec moi.

Ses pieds se glissent dans des mules à talons très hauts. Elle porte un peignoir en satin gris clair, serré à la taille par une ceinture souple.

– Venez.

Ma main fermement tenue dans la sienne, nous retraversons l'appartement. Contre le mur, une vaste commode potelée, ventrue, en acajou, cuivre et marqueterie, dont le tiroir s'ouvre avec le bruit lisse d'un mécanisme huilé par le temps. Édith en sort une grande enveloppe beige, la secoue et étale des radiographies par terre.

– Regardez.

Elle en sélectionne une, la soulève et l'examine à contre-jour.

– Vous me croyez, maintenant ?

Je ne comprends rien. Qu'est-ce qu'elle me montre ?

– Mais son pontage, idiot ! Ce que vous êtes charmant !

C'est quoi un pontage ? Le pontage de la rivière Kwaï ? Édith rit aux éclats.

– Que je vous explique, Michael...

Elle me fait asseoir sur le plantureux divan du salon (motif Art nouveau, lianes sur fond de végétation tropicale) et entreprend de déboutonner ma chemise.

– Mais, Édith... !

– Leçon d'anatomie, Michael. Laissez-moi faire. Il faut absolument tout, mais tout savoir sur les pontages.

En plein milieu du salon, entourés des radios de

Roland et des spectres de mille dîners chics, elle me déshabille pour de bon.

– Les artères, c'est très compliqué. Il y en a une qui part d'ici et qui finit là...

– Là ?

– Là.

J'aurais besoin d'un bon pontage moi-même ! Du bout du doigt, Édith dessine un cœur sur ma poitrine. Elle me prend pour un tableau noir ? Quel dommage que je n'aie pas pensé à apporter ma liste. Je n'ose pas ouvrir la bouche. Je risque de prendre mon crural pour mon fessier. Elle finit la démonstration.

– Alors, Michael... Vous me croyez, maintenant ?

Je la crois. Nous voilà tous les deux dans l'arène. Je suis nu. Nu sur le divan où, un soir d'automne, j'ai assisté, fasciné, au défi de Roland Delluc, lequel, aujourd'hui, ce matin même, court le danger de gagner son pari. Édith, toujours habillée, ne me quitte pas des yeux.

– Vous êtes beau, Michael.

Elle m'embrasse. Étonnant. Elle m'embrasse comme si je n'étais pas déshabillé, chastement. Le baiser dure, mais reste pur.

– Suivez-moi.

Édith doit aimer les pérégrinations. Dans la salle à manger, elle s'arrête pour grignoter un grain de chasselas. Instant fugace de panique. La porte va s'ouvrir, Roland Delluc va entrer et découvrir un rosbif naturiste en train de picorer dans ses grappes. On regagne la chambre, tentures turques et lourdes draperies.

– C'est drôle, vous n'êtes pas fait comme un Français.

J'en étais sûr. Il y a un truc qui manque.

– Là, par exemple... D'habitude, il y a un creux, et vous n'avez pas de creux.

C'est vrai, je n'ai pas de creux. Je retiens mon souffle. Mais elle ne me regarde plus. A son tour, Édith se déshabille. Elle enlève le peignoir en satin gris. Elle est là, nue, devant moi, mince, lisse, fière. Elle a gardé son collier et ses chaussures.

– Venez, Michael.

J'interromps ici le récit pour rappeler, avec insistance, qu'il n'entre nullement dans mes intentions de faire du voyeurisme. Ce qui suit n'est ni plus ni moins que le récit de la rencontre de deux cultures dans une situation inhabituelle. La transcription est aussi fidèle que possible, bien que je n'aie évidemment pas pu, étant donné les circonstances, prendre de notes.

– Par ici.

Elle m'entraîne vers le lit et se glisse très doucement sur moi. Un nuage passe sur mon visage.

– Qu'est-ce qui ne va pas ?

– Rien, Édith, sauf que... C'est la première fois de ma vie que je fais l'amour avec une Française, et il faut que je vous explique...

– Vous avez une exigence, Michael ?

– Non, Édith... plutôt une défaillance... C'est qu'il faut que je fasse attention, si vous me passez l'expression, de ne pas trop écourter la matinée...

– Je pensais que les Anglais faisaient tout lentement !

Je regarde son corps, ses yeux, ses épaules, ses hanches.

– Vous êtes incroyablement désirable, Édith.

– Attention, Michael !

Vite ! Un seul remède. Je ferme les yeux et je récite les tables de multiplication. Ça passe. Ouf. L'honneur est sauf. L'Angleterre respire.

– Voilà, c'était ça le problème, Édith.

Elle rigole :

– J'adore ! Mais, évidemment, il faut faire quelque chose. Vous allez m'écouter et m'obéir. Bon. Revenez. Doucement. Voilà. Et maintenant, Michael, attention ! Concentration. Vous allez m'expliquer quelque chose de très mystérieux. Vous allez tout me dire sur...

– Sur ?

– Sur le cricket !

– *I beg your pardon ?*

– Vous n'aimez pas le cricket ?

– J'adore le cricket, mais je ne pensais pas...

– Précisément, vous allez y penser.

– Mais c'est ridicule, Édith !

Très bien. Je n'ai pas le badinage de Casanova, mais tout de même.

– Vous venez, Michael. Ça va vous aider. C'est lent, le cricket, non ?

– Les grands matchs durent cinq jours.

– Cinq jours, c'est parfait !

Cinq jours ! Je suis blême.

Édith continue :

– Et moi, pendant ce temps, j'aurai l'impression d'apprendre quelque chose.

– Comment ça « pendant ce temps » ? Vous avez l'impression de perdre votre temps ?

– Ne soyez pas si susceptible, Michael. Donc, le cricket...

Je ne suis pas trop fier, mais Édith, tenant le haut du pavé, mieux vaut obtempérer.

– Au cricket, il y deux équipes.

– C'est mieux à deux, c'est sûr !

– Si vous persistez à faire des allusions de cette nature, Édith, vous allez m'exciter et l'entreprise va capoter...

– Pardon, Michael. Reprenez je vous en prie. Mmm...

Ou je me trompe, ou Édith commence à ressentir quelque plaisir. Bien, Sadler ! Bon début. Le cricket titille, allons-y.

– L'objectif de la première équipe est de marquer des points, ou *runs*...

Mmm, runs... Continuez...

– L'objectif de la deuxième équipe est de faire sortir la première. Le jeu commence lorsque le premier joueur entre...

– Dites-le-moi en anglais...

– *He comes in...*

– *Comes in... comes in...*

– Votre accent est excellent, Édith...

Déjà deux minutes trente. Pas mal. Et hop ! on se retourne. Pour la première fois, j'ai l'occasion de remarquer que le papier peint représente un panorama de Troie en flammes trois fois neuf vingt-sept quatre fois neuf trente-six.

– Et alors ?

– Le but de ce joueur est de rester *in.*

– *He wants to stay in...*

Quel accent délicieux.

– Et de ne pas être *out...*

– Pas *out,* Michael. Surtout pas *out. In,* Michael. *In !*

Cinq fois neuf quarante-cinq. Et là, subitement, par une acrobatie imprévue, nous nous retrouvons par terre. Ce qui me fournit l'occasion de regarder sous le lit. Des livres partout. Philippe Sollers. C'est qui, ce Philippe Sollers... ?

– Michael, vous m'oubliez !

Concentration, Sadler !

– La deuxième équipe se positionne sur le terrain de jeu...

– Positions ? Quelles positions ?
– Des noms ?
– Oui, des noms de position...
Nous sommes maintenant debout, une position qui fait un peu mal à la tubérosité ischiatique, mais qu'à cela ne tienne.
– Euh... il y a *gully*.
– Guili ?...
– Arrêtez, Édith !
– Et puis ?
– *Silly mid on.*
– Ce qui veut dire ?
– Mais rien, Édith, c'est une position, c'est tout !
– Plus vite, Michael. Encore des positions...
– *Silly mid off, silly mid on, first slip, second slip, third slip, point...*
– Aaaiiee !
– Vous avez dit plus vite, Édith !
– Doucement...
– *Deep point.*
– *Deep, deep...*
Nous voici parvenus à la porte de la chambre. Drôle de façon de visiter l'appartement, mais j'ai toujours été d'une nature curieuse. Il y a une très jolie bergère Louis XIV, ou bien, six fois neuf cinquante-quatre... Louis XVI ?
– N'arrêtez pas, Michael !
– Et quand celui qui jette la balle détruit le *wicket* de son adversaire, il crie *« How's that ! »*
– Ce qui veut signifie ?
– Littéralement : « Comment c'est ? »
– C'est bon...
– Ce n'était pas une question, Édith ! C'est ce qu'on dit lorsqu'on est *out*. On crie : *« How's that ! »*

– C'est bon, c'est bon, c'est bon... Encore !

Nous progressons dans le salon. Les questions d'Édith se font de plus en plus urgentes, sa respiration de plus en plus rapide. Elle se pique vraiment pour le cricket !

– Et la fin, Michael... la fin... Racontez-moi la fin du match...

– Le *bowler* lance la balle...

– Très fort... Oui... oui...

– Le *batsman* donne un grand coup...

– Oui, un grand coup...

– Ça monte... Ça monte...

– Ça monte, ça monte !

– ... très haut...

– ... très loin...

– Est-ce qu'on va l'attraper ?

– Oui, oui, on va l'attraper...

– Le joueur court...

– Cours...

– Il court...

– Plus vite !...

– Il arrive...

– Sur la table, Michael...

– Sur la table ?

– Mettez-moi sur la table ! Étalez-moi sur la table.

Pourquoi résister ? Si Édith se prend pour une nappe, *why not.* Avec douceur et dextérité, nous atterrissons sur la table de la salle à manger. C'est très simple. Pas de quoi en faire un plat.

– Il arrive... vite, vite !

– La balle descend...

– Il est en dessous... Vous me suivez ?

– Je vous suis... je suis en dessous...

– Ça vient, ça vient... ça s'approche... Il tend les mains... Il prend, il prend.. Il va le prendre...

– Prenez-la ! prenez-la ! prenez-moi...

La translittération phonétique de la suite dépasse mes compétences linguistiques. Édith crie. Son corps est tendu comme un arc. La flèche part. Le lustre scintille, frissonne, la main d'Édith frôle une coupelle de fruits en cristal, la renverse, des grains de raisin roulent en cascade sur la table, s'entrechoquent, s'immobilisent.

Grand silence sur la pelouse.

– Je savais pas que le cricket était un jeu si excitant, Michael.

Édith me caresse les cheveux, les joues, les épaules. Je regarde ma montre. Elle a l'air fâché.

– Mais, Michael ! Tu as un rendez-vous ?

– Non, Édith. Mais nous n'avons plus que sept minutes pour rester amis.

Elle m'a dit « tu »...

26

Je suis installé à la terrasse du café Marly, face à la pyramide du Louvre. J'entends le clapotis de l'eau noire qui déborde des bacs de marbre. C'est une journée paisible. Le soleil est légèrement voilé. Je commande un café allongé et un pain aux raisins. Habité par un sentiment de bien-être et de possession, je lis *Le Monde* sans le lire. J'ai une maîtresse parisienne et je suis capable de faire l'amour pendant au moins seize minutes tout en visitant un appartement de 400 m².

Rêveur, je descends la rue de l'Abbé-Grégoire, quand Lucien Goujon jaillit de sa boucherie, le visage illuminé. Depuis le début de la matinée, il me guettait. Il me saisit par l'épaule comme si j'étais un veau de compétition.

– Très bonne nouvelle à t'annoncer. Tu vas être content ! Jean-Claude t'invite !

– Il m'invite à... ?

– Mais... à son anniversaire, mon vieux !

Ça c'est chic. Lorsque quelqu'un qui ne vous aime pas fait un effort pour vous aimer, vous ressentez, par gratitude, un afflux soudain de tendresse à son égard.

Lucien ne résiste pas à la tentation de me montrer le menu. Nous pénétrons dans la chambre froide, frôlant les carcasses et les quartiers auxquels sont épinglées des étiquettes portant le nom d'une célébrité. On croirait la morgue après le passage d'un *serial killer* dans une soirée mondaine. Lucien dévoile son trésor. Étalés sur un plateau couvert d'un torchon en lin blanc, des organes encore frais.

– Très rare.

Consensuel de nature, je fais semblant de m'extasier. Lucien passe son bras autour de mes épaules. Notre amitié vieille de quelques mois m'autorise à l'interroger.

– C'est quoi, exactement ?

– « Ça », monsieur Mike, ça ce sont trois kilos de rognons blancs !

Dans le plat devant nous, il y a eu – de leur vivant – de quoi ensemencer une sous-préfecture. Le lendemain d'une matinée d'amour, le réveil aurait pu être plus doux.

Lundi, je descends au Balto.

Dédé l'Asperge nous a préparé l'alexandra traditionnel. Jean-Claude et moi nous embrassons, tous deux émus de notre nouvelle intimité et de notre réciproque tolérance. Je lui remets solennellement mon cadeau : une *Histoire du boudin* dénichée à la FNAC. Puis, tout en salivant, nous nous rendons dans l'arrière-boutique de chez Nicolas pour nous taper un meursault d'ouverture.

Jean-Claude n'a que cinquante-deux ans. On lui en donnerait facilement dix de plus. Didier l'imite, remontant son pantalon sur un bide imaginaire. Il a raté sa vocation. C'est un acteur manqué ! Il aurait pu jouer dans *Le Mérou malgré lui* ou *La Barbue de Séville*.

Lucien Goujon, déjà aux fourneaux, ne participe pas à la liesse générale. La préparation est minutieuse : les rognons blancs sont escalopés avec un couteau très aiguisé et sont ensuite trempés dans du lait. A 13 heures tapantes, il nous apporte le hors-d'œuvre.

– Messieurs, aujourd'hui, un déjeuner des extrêmes. Avant de se délecter du train d'atterrissage... une salade de crêtes de coq !

L'idée de déguster la coupe iroquoise des coqs m'aurait horrifié il y a peu. Le goût est délicat, le plat délicieux. Il reste très peu de morceaux du cheptel français que je n'aie pas encore goûtés – les orteils ? les sourcils ? Je m'efforce de refuser le deuxième service. Jean-Claude me garde à l'œil. Si je fléchis, si je refuse, il est prêt à attaquer. Je remonte aux crêtes.

Enfin, la pièce de résistance. Se couvrant la tête avec une serviette blanche – c'est le rituel –, on s'enferme avec nos roupettes. De dos, nous devons ressembler à une tablée d'émirs. Quelle finesse d'arôme ! Quelle subtilité ! Dans le silence, on n'entend que les glloup, schlurpp, shroock des glousseurs de rognons blancs.

Quand, subitement, une onomatopée étrangère se glisse dans la litanie.

Schlouppffff.

Il se passe quelque chose d'anormal.

Schlouppfffffff ?

Comme des scouts sortant de la tente après une nuit de débauche, les sybarites quittent l'intimité de leur serviette pour scruter le campement.

La tête de Jean-Claude est posée sur son assiette comme celle de saint Jean Baptiste sur son écuelle. Il est inerte. L'espace d'une seconde, nous croyons à une blague, il fait semblant de se pâmer d'extase, mais non, il ne bouge toujours pas ; en tombant, il a même éclaboussé de sauce le pantalon de velours de Francis.

En contemplant Jean-Claude, immobile dans son déjeuner, j'ai une vision éphémère de la fragilité des choses. Notre gros compagnon – fils de madame Xérox de Dieppe, celle qui endossait son uniforme chaque fois qu'elle allait enduire de beurre noir les rideaux en dentelle –, notre gros copain gît là, affalé devant nous, la face dans l'assiette, avec sa cravate rouge à motifs de cocottes-minute se balançant entre la table et le plancher, entre la vie et la mort.

Francis téléphone au SAMU. On étend Jean-Claude par terre. Il est très rouge. Le médecin, immédiatement sur place, parvient à le ranimer. Ouf ! Ce n'était qu'une alerte. Il est vite hors de danger. Mais lorsque l'homme de science nous demande ce que le patient vient d'ingurgiter, il regarde notre installation secrète d'un sale œil. Attention, messieurs, attention !

Nous sommes, quand même, un peu secoués. Le bonheur ne tient qu'à un fil. Le mot de la fin revient à Lucien Goujon, qui nous fait part de cette profonde réflexion philosophique :

– Quelle belle fin c'eût été, messieurs ! Imaginez ! Partir comme ça... la tête dans les couilles.

Méditation.

27

Dès que viennent les beaux jours, Didier le poissonnier me l'a expliqué, les Français partent à la mer. Ce bain d'iode fait baisser son chiffre d'affaires de moitié. On inspire des gaz d'échappement tout l'hiver et on les expire l'été sur le littoral. Les bronzés, qui font des pompes sur la plage au mois de juillet, sont en vidange.

Édith Delluc m'a appelé :

– Quel plaisir de t'entendre, Michael. Nous partons très bientôt en villégiature à l'île de Ré. C'est un endroit idyllique. Le paradis. D'ici là, je n'ai pas un moment à moi. Pas une seconde. Il faut donc absolument, je répète, absolument que tu nous rejoignes.

Nous ne nous étions pas parlé depuis le match de cricket, et elle n'y fait d'ailleurs aucune allusion. Je lui explique que je connais déjà l'île de Ré, que j'ai visitée du temps où il fallait prendre le bac. C'était bien avant le pontage ! Le rire d'Édith me fait rougir de plaisir.

Je fais tout ce que je peux pour ne pas m'attacher à elle. Mais je n'ai pas envie que les choses s'arrêtent trop vite. Édith Delluc, la France, même combat ! Vite, à la Mazda, direction La Rochelle.

La maison Delluc est une vaste et opulente villa campagnarde, avec jardin et volets gris-vert, qui donne directement sur la plage. Quand j'arrive en début d'après-midi, la bonne, une version insulaire de madame de Souza, tout en finesse maritime, genre laissez-moi jeter bruyamment les coquillages dans la poubelle, ne sait rien : elle ne sait pas qui fait la sieste, qui se baigne, qui pêche ou qui est parti à bicyclette. Pas de mot, pas de signe, la maison est aussi muette qu'un paillasson. En les attendant, je lis *Le Monde* d'avant-hier et grignote une part de pizza morte. L'intérieur de la maison a la même odeur de cire et de confort que le moulin de Pont-de-Ruan. Je fais un tour dans le bourg sur un vélo émasculateur.

Édith revient de la plage avec une flopée de copains qu'elle me présente – vous connaissez mon ami anglais Michael ? Ah, non. Hello, Michael ! Ha ha ! *How's things haha ? Ze sea iz cold haha !* Ils sont très sympathiques. Je suis, cependant, agacé par la présence d'un Américain qu'ils ont rencontré sur la plage et qui s'est immiscé parmi eux. J'aurais préféré être le seul étranger. La présence de Gary me rend moins exotique.

Gary mesure au moins deux mètres, porte un surfboard sur le dos, un bandana dans les cheveux, et donne l'impression d'être à la fois disponible pour tout – *« Great ! Why not ? »* – et éhontément pique-assiette. On lui offre du gâteau, il en prend.

– Le gâtoooo, *great !*

Du thé.

– Le theeeey ? *Great !*

Et chacun d'adorer son accent et son *« great ! »*.

Les amis se dispersent. La présence d'Édith m'excite. Je ferais bien l'amour maintenant. Mais Gary ne se disperse pas, il bernique. Il ne me reste qu'à faire la conversation :

– Et Roland ?

– Ça va, ça va. Il se repose.

Il faut sans tarder remonter sur le vélo émasculateur pour retourner aux Portes-en-Ré prendre un verre. Gary nous suit.

On emprunte la piste cyclable. Édith trouve Gary très drôle sur son *vélauuuuu* trop petit. Je me réjouissais de rencontrer des gens de la campagne, des pêcheurs, des paysans, des gens du cru. Mais les gens du cru ont ou vendu ou loué leur maison pour les beaux mois d'été. J'ai repéré quelqu'un qui ressemblait à un pêcheur – pull bleu, casquette à visière –, mais Édith m'a dit qu'il s'agissait d'un sculpteur roumain qui exposait au Metropolitan. J'avais espéré larguer le Gary en ville. Pas de chance. Il nous colle aux fesses.

Pendant qu'Édith se prépare et sort Roland du frigo, je descends à la plage faire trempette dans les reliefs de pique-nique et les sparadraps que la marée du soir nous apporte en offrande. A mon retour, Gary a déjà dressé la table, ce qui me semble une façon très sournoise de s'inviter à dîner. En plus, j'avais prévu de m'en charger, c'est mon côté « au pair ». Voilà que je me fais coiffer par un Yankee ! Les invités pointent leur nez – les mêmes que l'après-midi, passés au karcher.

Je trouve quand même à me rendre utile en cuisant les huîtres à la braise. L'opération nécessite beaucoup de concentration. On pose l'huître sur le gril en faisant très attention à ne pas se brûler les doigts, on attend, ça fait « pop », l'huître se décapote, c'est cuit. On arrose de beurre chaud parfumé au citron vert, on prend un verre de blanc et un autre, merci beaucoup, et on est, en un rien de temps, aussi beurré que le mollusque. J'obtiens un grand succès grâce à mes huîtres, jusqu'au moment où Gary s'approche de moi.

– *Hey, man !*

– *What ?*

– Arrêt-tez, *man* !

– *What's wrong ?*

– Ça, c'est *crou-elle* ! Regarde ce qu'il fait. Avec les *oï–stères* !

Les invités se regroupent autour du barbecue.

– Qu'est-ce qui ne va pas ? Pas *great* ?

– *No, man !* Pas *great* dou tooouu ! Ils sont vivants, les *oï-stères.* C'est *crou-elle, man* !

Et l'Américain *politically correct* de nous faire un cours sur le sytème nerveux des huîtres.

Édith me rassure. Elles sont divines. Ça fait d'ailleurs cinq fois qu'elle me le dit en me serrant la main avec effusion. Elle picolerait pas un peu trop ? Juste avant de passer à table, Roland Delluc s'approche de moi avec un sourire narquois.

– Les *oï-stères* étaient vraiment divines, me dit-il d'un air goguenard.

A table, Édith s'amuse avec Gary. Ils parlent de New York, des galeries, des restaurants, de la Californie. Pis : ils parlent ski ! Tous deux adorent le hors-piste. Où ça ? Dans le Colorado ! Je l'imagine, le Gary, avec sa doudoune luisante, sa pommade rose bonbon sur ses lèvres gercées et ses lunettes de ski aérodynamiques. Je l'accroche comme une dinde au tire-fesses, et envoyez la musique ! Pourquoi les Français s'entichent-ils des Américains ?

Subitement, une lueur d'espoir. Édith, avec un sourire à faire fondre les couverts, se lève et annonce :

– Et maintenant, la surprise !

Mon cœur s'emballe. Je comprends la combine. Édith Delluc fait certainement allusion à notre premier libertinage.

– Je vous ai préparé un dessert anglo-saxon !

Les invités sont ravis. Moi aussi. Vraiment maligne, Édith. Elle m'annonce le moment crumble ! Miam !

– *'ow lovely.*

– *A puddingue.*

– Génial !

Et là, horreur. Le Gary, le *surfboarder*, l'ami des huîtres, l'échalas de mes deux, se lève et prend ma place.

– Je vous donne un *coouuuu* de main ?

Prise, au moins je l'espère, à son propre piège, Édith ne peut rien dire. Elle est blousée, obligée de s'enfermer dans la cuisine avec ce skieur à bandana, alors qu'elle aurait pu me picorer en sourdine. Elle le remercie gracieusement :

– *It's nothing, Édith.*

Les invités sont en extase devant son *« th »* : *Edithth-thth !* Ils s'éclatent comme des gamins à se coincer la langue entre les dents, à postillonner sur la nappe. Je suis hors de moi. Il faut riposter. Je commence à ramasser rageusement les assiettes, histoire de regagner la cuisine coûte que coûte, mais la Portugaise rhétaise me les arrache des mains. Elle vient de les distribuer. Je sombre dans la dépression. Les autres parlent. Leur conversation roule sur moi. Je fais le mort.

Le crumble était nul.

Nuit cauchemardeuse.

– Édith, chuchote-t-il. Il faut que je te parle.

– Moi aussi, mon chéri.

– Demain à 18 heures, derrière le phare.

– J'y serai.

Il se lève tôt. Une brise âcre lestée d'algues et de varech attaque la côte. Il s'enfonce deux boulettes de mie de pain dans chaque narine pour se protéger.

Je me suis réveillé tard. En bas, on prépare le programme de la journée. Les amis sont déjà sur le pont. Qu'est-ce qu'ils ont ? Peur de rester tout seuls ? J'entends des voix qui discutent.

– *Great, man !*

Gary a dormi dans son sac de couchage, dans le jardin, sous l'œil bienveillant des *écouuuureuils.* Je m'habille à toute vitesse et descend au moment où tout le monde part. On se donne rendez-vous sur la plage pour « faire le courant ». Ça consiste à s'immerger dans le chenal juste avant la marée descendante et à se laisser emporter vers la mer à une vitesse de 20 km/h. Le courant s'épuise à la côte. Après, il ne reste plus qu'à regagner la plage à pied. Le pied.

Nous voilà donc tous partis à vélo et en maillot de bain, les hommes de tous âges montrant leurs creux et leurs muscles, les femmes pimpantes dans un numéro assez Crazy Horse, et moi, l'Anglais, en bermuda flottant. Lorsque la chaîne d'Édith a sauté, nous avions le vent dans le nez, si bien que personne ne l'a entendue crier :

– Attendez !

Sauf moi.

Je rebrousse chemin et me trouve enfin seul avec elle. A genoux, la position est parfaite pour réparer la chaîne et exprimer mon amour. J'ai disposé de toute une nuit pour me préparer, toute une longue nuit pour ressasser et peaufiner ma déclaration. Ma plume s'est mise au service de mon cœur. Ça donne : « Édith. Pour moi, tu es l'incarnation de la Française. Tu es Madame Bovary. Tu es Phèdre. Tu es Manon Lescaut. Oui, tu es volage, tu es difficile, tu es fuyante. Mais tu es excitante, dangereuse. Tu es tout ce qu'une Anglaise n'est pas. Et j'aime ta langue, tes temps, tes accords du participe passé, tes subjonctifs, tes liaisons. Je te veux comme professeur, Édith. Je ne suis pas prêt. Je veux redoubler. »

Mon discours, un brin exagéré, un peu raide, présente l'avantage de mélanger passion et naïveté. Je suis sûr que ça va lui plaire.

Ou plutôt : que ça aurait pu lui plaire.

Une mouette, une mouette grecque, tout droit sortie d'Eschyle, téléguidée par le destin, agent funeste des dieux, choisit ce moment précis pour s'oublier sur ma tête, avec la précision laser d'un Tomahawk.

Édith est pliée en deux. Elle rit tellement qu'elle en pleure. Elle m'adore. Je suis vraiment impayable. Incompétent, maladroit, anglais. Rien de tel qu'une diarrhée de mouette pour ranimer momentanément la flamme d'une passion vacillante. D'autres cyclistes s'arrêtent sur la piste pour se boyauter avec nous. Ce qui permet à Gary, qui a naturellement passé des mois à bosser dans un magasin de cycles sur la route 66, de rebrousser chemin et de prendre la situation en main.

Sur la plage, des attroupements de courantistes se forment. On se fait une ronde de baise-main en maillot de bain. D'autres groupes, plus loin, dans les champs d'algues, font de même. Nos chemins convergent vers un grand jacuzzi naturel, dans lequel nous nous immergeons tous en attendant le ressac.

– C'est pour 11 h 03 ?

– 11 h 04, je pense.

– Je le sens, je le sens...

On badine comme on peut dans un jumbo liquide en attendant le décollage.

Et soudain, le voilà : le courant. C'est fou ! On commence à tournoyer comme à la foire.

Mais qu'est-ce qui se passe ?

Peu désireux de me mêler à la foule après ma déclaration avortée, je me suis mis un peu à l'écart des remous mondains. Résultat : je me trouve à la lisière du courant, pataugeant pitoyablement, tandis que les autres sont déjà à des années-lumière ! Pour prendre le train en marche, j'essaie de me déplacer vers la gauche. Mais le courant me retourne et m'envoie vers la droite. Je me lance à droite. Le courant divague. Je suis rejeté dans un cul-de-sac à moules pointues. Là, plus de courant du tout. Panne sèche. Plus de jus. Au milieu des cris de joie, Delluc & Cie sont déjà à 500 mètres ; je sors et cours me replonger dans l'eau. Puis je capitule.

Le courant les emporte loin, loin, très loin de moi. Je ne vois que des têtes, comme des bouchons à la surface de l'eau. Ils sont à deux kilomètres. Ça y est, je ne les vois plus. A moins que... là, à gauche, ne serait-ce pas la main d'Édith ? Non. C'est une mère qui fait signe à son enfant. Et là, la jolie tête bouclée de Gary en route pour les États-Unis ? Non, c'est une méduse défunte.

Je rentre à vélo à la maison. En évitant de déranger Roland Delluc qui, à l'ombre, tapote sur sa calculette pour savoir combien de lingots il a dans le freezer, je compose un petit mot tendre à l'attention d'Édith : « Les courants changent, les sables sont mouvants, un chenal semble subitement nous séparer. Je te remercie pour tout. Je ne t'oublierai jamais. *With my love*, Michael. »

Je relis. C'est un peu ampoulé, mais Delluc commence à ranger son or. Triste mais libre, je m'éclipse.

28

De retour à Paris, je me suis invité à dîner à La Coupole. Faut pas se laisser aller !

J'ai bu une bouteille de champagne à la maison et je suis arrivé vers 20 heures, en même temps que moi-même. Nous n'aimons pas être en retard. Le garçon cherchait à nous mettre sur la touche parce que nous étions tout seuls, mais nous avions l'air tellement déterminés qu'il a accepté sans broncher quand nous avons changé de table et que nous nous sommes installés en plein milieu, à côté du bouquet de fleurs qui fait la gerbe dans la fontaine.

Nous avons choisi un tartare de thon pour commencer, puisque c'était la première ligne du menu, accompagné d'un kir royal que nous avons commandé, oubliant que d'ordinaire nous n'aimions pas les apéritifs aussi ploucs, ce qui ne nous a pas empêchés d'en boire deux, histoire de ne pas mourir victimes de nos préjugés. De toute façon, ce n'est pas une soirée « ordinaire ». Le tartare était cru, nous avons donc commandé autre chose – on est volage –, un gratin de morue divin qui nous a remis d'aplomb.

Nous avons décidé d'accompagner les hors-d'œuvre avec un sancerre qui se révéla être une bouteille autoconsommable : aussitôt plein, aussitôt vide ! Il est parti où, le sancerre ? Nous avons regardé sous la table, sous la banquette, sous le manteau de notre voisine, sous la jupe de notre voisine... Non, je blague. Des Martiens munis de pailles ont dû siffler la bouteille, j'ai dit, ce qui a déclenché l'hilarité générale. Nous étions en forme !

Seule solution, une bouteille de rechange. Et hop ! une fillette, garçon ! La coquine nous a bien éclairci le palais, nous avions de nouveau une petite faim. Un steak au poivre et son gratin dauphinois s'imposaient. Non, garçon, dolphin, dauphin, delphinium, très difficile à prononcer ; nous ne voulons pas de frites car les frites nous rappellent le réveillon, le réveillon l'encaustique, l'encaustique l'île de Ré, l'île de Ré la mer, la mer Didier le poissonnier, Didier le poissonnier Dédé l'Asperge, Dédé l'Asperge les rognons blancs, les rognons blancs l'amour, et l'amour Édith Delluc. Hic ! Excusez-moi. Le steak est délicieux mais se déplace dans l'assiette. Le poivre donne soif, nous décidons de nous désaltérer (bravo la prononciation), je répète : désaltérer, vous voyez, il n'y a pas de problème, avec un... ça c'est très-très-très difficile à prononcer, même en temps de paix... un *brooo*, un *broooobilly...* un *boobrilly* (drôle, ça), non sérieusement... un brouilly. Brouilly. Brouilly. Brouilly. J'ai beaucoup de volonté, si je veux, je prononce ce que je veux. Chiche. Non. Pas chiche.

Zut, le steak est froid. Je l'avais oublié, mais le garçon coupolien m'apporte la deuxième fillette de bordeaux et le camembert, un camembert-frites, on peut faire pire. Et pour finir, une omelette norvégienne impossible à manger, mais je me suis bien amusé à la transpercer avec les décorations – des parasols japonais qui, si on les enfonce bien, dégonflent tout l'édifice. Pfuit ! J'ai présenté la baudruche ainsi aplatie à mes voisins, un jeune couple charmant composé de : lui lunettes et elle robe moulante.

La soirée s'est terminée dans la liesse d'un vieux calvados, puis moi et moi-même, nous appuyant lourdement l'un sur l'autre, nous avons grimpé les étages bras dessus, bras dessous. On s'était bien marré, et on s'est couché ensemble et on a encore ri au lit car, c'est vrai, on était complètement cuits, beurrés, ivres, saouls, pétés, ronds, noirs.

29

Rue du Cherche-Midi, les boutiques ferment les unes après les autres pour les vacances. De vieux rideaux beiges et moches, genre catafalque miteux, sont tirés derrière les portes grillagées des bars. Sur les vitrines des boulangeries, de petites affichettes annoncent « congés annuels » – des bouts de papier griffonnés à la hâte dans l'excitation du départ, pendant que la voiture surchargée s'impatiente dans la rue. L'achalandage de la poissonnerie de Didier se raréfie ; dès la mi-journée, les crevettes et les crabes vivants, tels des retraités à la plage, prennent refuge à l'ombre dans l'arrière-boutique, préférant la compagnie des poissons inertes à la chaleur torride de l'étal. Passant chez Nicolas acheter de quoi me rafraîchir, je découvre avec consternation que Francis est déjà parti en vacances. Deux étudiants charmants ont pris sa place, mais je ne les connais pas et ils ne me connaissent pas. J'achète en deux minutes ce qui, normalement, m'en prendrait quarante-cinq. Que Francis ne m'ait pas dit au revoir me chagrine, mais il est vrai que désormais je fais partie des meubles. Sauf que... quand il reviendra, je ne serai plus là.

Je flâne. Je sais très bien que, de retour à Abesbury, je rêverai de Paris. Je me vois au fond du jardin, au crépuscule, rêvant de la rue de l'Abbé-Grégoire, de mon appartement, de Dédé en train de badiner avec un Danois assis à ma table, d'Édith sortant une *blueberry pie* du four, pendant que Gary lui explique les règles du base-ball, ou Jerry le curling.

J'ai commencé à faire mes valises. Les fenêtres sont grandes ouvertes. Je débouche un petit blanc sec, modeste mais charmant, et verse mes raviolis au *prosciutto* dans la casserole d'eau bouillante. Une croûte de parmesan dans le frigo. Finissons les restes.

Hier soir, je me suis couché tard – je me suis payé un vieux Truffaut au Champollion. Va falloir que je m'habitue à ne voir Paris qu'à l'écran. Après avoir raviolé, je roupille.

Au réveil, la ville ronronne et bourdonne. Juillet, c'est relax. Je peux stationner en bas de l'immeuble. J'échappe à l'enfer de la double file. Demain, je pars.

Il y a un fleuriste pas loin de la rue Gounod. Je ne peux pas résister. J'achète un bouquet de clochettes et je sonne à la loge de madame de Souza pour la remercier et la saluer. Les volets du troisième sont fermés, il n'y a personne, mais je monte quand même dire au revoir au paillasson, à l'ascenseur à claire-voie, à l'odeur de cire et aux portes à double battant. Je sonne une dernière fois. La sonnerie retentit dans l'appartement vide jusqu'au tréfonds de mon divan à lianes.

Je prends un dernier apéro chez l'Asperge avec Didier et Lucien. Dédé va fermer dans quelques jours – après le 14. Comme il n'y a que très peu de monde, il s'occupe à verser dans les bouteilles presque vides les bouteilles presque pleines, à nettoyer la cave, à lire son journal debout derrière le zinc, ses demi-lunes perchées sur le bout de son nez, pendant que Gilberte prépare une salade Balto pour quatre Japonais affamés. Lucien me parle des ortolans. Quoi, je ne connais pas les ortolans ? Ces petits oiseaux protégés (clin d'œil), aujourd'hui introuvables (clin d'œil), et qu'on mange, très chauds et entiers, en suçant leurs entrailles par le derrière ?

Dehors sur le trottoir, dans la belle lumière crépusculaire, on s'embrasse. Dans un mouvement de nostalgie profonde, j'offre mes bretelles patriotiques au Club des cinq. Dédé accepte avec une grâce teintée d'un soupçon de morgue. L'indépendance nationale se trouve légèrement offusquée par cette offre d'un soutien élastique extraterritorial. L'émotion est cependant réelle.

– Il faut que tu reviennes !

Une famille anglaise passe.

– *Mummy ! Look ! Men kissing each other !*

– *They're French, darling...*

30

Tempête sur la Manche.

La traversée Dieppe-Newhaven est annulée. Je suis obligé de monter jusqu'à Calais.

Privé de l'occasion d'un livarot d'adieu, je rouspète. L'autoroute est bondée, les semi-remorques traînent dans leur sillage un panache de pluie, le port est laid et sans âme. Du pont supérieur du supermarché flottant qui s'apprête à appareiller, je contemple un paysage *destroy*. Des kilomètres de bagnoles alignées sur les no man's land des parkings en attente du prochain ferry ; des containers rouillés, des ponts en béton qui enjambent des rails de chemin de fer envahis par les ronces, partout des flèches, des cabines de chantier, des entrepôts glauques. Sur le quai, une armée d'employés en veste fluo et casque jaune, qui se foutent pas mal du bateau et démontent la batterie de leur talkie-walkie trempé. C'est hideux.

Tout à coup, je souris. La France me fait une dernière fleur. Sensible à mon désarroi, elle se montre sous un mauvais jour. Tout a été fait pour atténuer la douleur du départ ; le temps, le paysage, le décor, tout est moche, tout est choisi pour que je n'aie aucun regret.

Mais je ne suis pas dupe.

J'adore ce pays. J'adore les gens, la langue, la rue, les odeurs, les bus, les affiches, le pain, le saucisson, le vin, les zincs, les livres, les idées, les voix, les femmes, les plaisirs. Je les aime tellement fort que ce que je n'aime pas – la bêtise des canards, le saumon cloné, l'engouement pour les *surfboarders* démesurés – ne saurait atténuer ma passion. Mais je dois m'en retourner, l'année est terminée. Comme c'est *crou-el* ! Je ne veux pas y aller ! Je voudrais murer le port de Calais ! Prendre la France dans ma valise ! Mais non. La France doit rester là où elle est, émergeant joliment de la mer au large de la Grande-Bretagne (atlas, pages 23-24, échelle 1 cm = 10 km). On peut verser une larme en regardant la Hongrie, la Tasmanie ou le Liechtenstein. Moi, c'est l'Hexagone.

La France est ma maîtresse.

Plié en deux pour lutter contre les bourrasques, je remonte le pont pour me rapprocher de la côte que je n'ai pas envie de quitter et qui, très doucement, s'éloigne.

Le dimanche, j'irai à Douvres avec des jumelles.

Cet ouvrage composé
par D. V. Arts Graphiques à Chartres
a été achevé d'imprimer sur presse Cameron
dans les ateliers de Brodard et Taupin
à La Flèche (Sarthe)
en mars 2000
pour le compte des Éditions de l'Archipel
département éditorial
de la S.A.R.L. Écriture-Communication

Imprimé en France
N° d'édition : 317 – N° d'impression : 1518
Dépôt légal : janvier 2000